BLAGUES
sur les travailleurs

Données de catalogage avant publication (Canada)

Vedette principale au titre :
　　Blagues sur les travailleurs
　　(Collection Humour)
　　ISBN 2-7640-0565-2
　　1. Travail – Humour.　2. Travailleurs – Humour.　3. Mots d'esprit et jeux de mots. I. Rénault, Claude. II. Collection: Collection Humour (Montréal, Québec).

PN6231.W644B52 2001　　　808.87'9355　　　C2001-941146-4

LES ÉDITIONS QUEBECOR
7, chemin Bates
Outremont (Québec)
H2V 1A6
Tél. : (514) 270-1746

©2001, Les Éditions Quebecor
Bibliothèque nationale du Québec
Bibliothèque nationale du Canada
ISBN : 2-7640-0565-2

Éditeur : Jacques Simard
Coordonnatrice de la production : Dianne Rioux
Révision : Jocelyne Cormier
Correction d'épreuves : Francine St-Jean
Conception de la couverture : Bernard Langlois
Photo de la couverture : Artville
Infographie : Claude Bergeron

Nous reconnaissons l'aide financière du gouvernement du Canada par l'entremise du Programme d'Aide au Développement de l'Industrie de l'Édition pour nos activités d'édition.

Gouvernement du Québec – Programme de crédit d'impôt pour l'édition de livres – Gestion SODEC.

CLAUDE RÉNAULT

BLAGUES
sur les travailleurs

LES ÉDITIONS
Quebecor

Un peu d'aide

Un jeune cadre dynamique s'apprête à quitter son bureau lorsqu'il voit le grand patron en face de la déchiqueteuse, une feuille de papier à la main.

— Jeune homme, lui dit son patron, vous allez pouvoir m'aider avant de partir. Ce document est très important et ma secrétaire vient de partir; sauriez-vous faire fonctionner cette machine?

Le jeune cadre répond fièrement:

— Certainement, monsieur.

Et il branche la prise, insère la feuille dans la fente et la feuille disparaît, déchiquetée. Le patron lui dit alors:

— Merci, jeune homme! C'est excellent! Une seule copie suffira.

Poule pondeuse

Un fermier découvre un jour que l'une de ses poules pond des œufs carrés. Décidant d'exploiter cette anomalie spectaculaire, il prévient le ministère de l'Agriculture qui se montre très intéressé. Le ministère prend donc la poule en pension et offre en retour une bonne compensation financière au fermier.

Une fois installée au ministère, la poule recommence à pondre des œufs ovales. Convoqué pour constater le fait, le fermier va voir sa poule et lui demande ce qui ne va pas. La poule lui répond:

— Tu crois que je vais continuer à me casser le cul maintenant que je suis fonctionnaire?

Hippie

Un homme s'adresse à un hippie dans la rue.

— C'est incroyable de voir un jeune homme comme vous qui perdez votre temps à fumer de la drogue. Je vous regarde depuis quelques minutes et je n'en reviens pas. Vous ne faites rien! Plutôt que de ne rien faire, vous feriez mieux de travailler.

— Pourquoi travailler? demande le hippie.

— Pour manger trois fois par jour, répond l'homme.

— Et puis après?

— Vous pourriez fonder une famille et la faire vivre.

— Et puis après?

— Après avoir élevé vos enfants, vous pourriez bénéficier d'une belle retraite et enfin pouvoir vous reposer.

— Me reposer, dit le hippie, mais qu'est-ce que tu penses que je fais là?

Déjà mort?

Un avocat arrive à la porte de l'enfer et dit à saint Pierre avant d'entrer:

— Ça a pas de bon sens, qu'est-ce que je fais ici? Déjà?

Saint Pierre lui répond:

— Vous êtes mort de vieillesse, monsieur, vous avez 122 ans.

— Comment ça, 122 ans? J'ai 26 ans!

— Ben, pas d'après les heures que vous avez facturées à vos clients.

Froid d'avocat

Il faisait si froid la semaine dernière qu'on a vu des avocats avec les mains dans leurs propres poches.

Accrochage

Après un léger accident impliquant deux voitures, les deux conducteurs attendent les secours. Heureusement, personne n'est blessé gravement. Après quelque temps, un des deux conducteurs impliqués se rend compte qu'une de ses fausses dents s'est cassée. Il dit à l'autre conducteur:

— Est-ce que vous savez combien de temps ça va prendre avant qu'on me la remplace? Je suis sûr que je vais me trimballer avec un trou pendant au moins une semaine!

— Calmez-vous, lui répond l'autre conducteur, je suis persuadé que je vais vous trouver une dent de rechange dès aujourd'hui.

Il sort de sa voiture une petite valise qu'il ouvre. Celle-ci contient plusieurs dizaines de dents.

— Allez-y, ne vous gênez pas! Servez-vous!

Après quelques essayages, le gars trouve une dent qui lui va parfaitement.

— Eh! C'est super! Elle est vraiment pareille à celle que j'avais! Quelle chance j'ai eue finalement de tomber sur un dentiste!

— Mais je ne suis pas dentiste, je suis croque-mort.

Pigeons

Un rabbin, un pasteur et un curé se font chaque semaine une petite réunion pour parler de leur métier et des problèmes qu'ils connaissent dans leur communauté. Cette semaine, ils discutent des pigeons qui ont élu domicile dans le clocher. Chacun propose une solution pour s'en débarrasser. Le rabbin commence.

— Il faut les enfumer ou bien essayer de les effrayer avec de petits pétards.

— Moi, j'essaierais plutôt le blé empoisonné, poursuit le pasteur.

Alors le curé les regarde tous les deux d'un air triste et leur dit:

— Vraiment, je pense qu'il y a un moyen beaucoup plus facile de se débarrasser de ces pigeons. On n'a qu'à les baptiser, à leur donner la première communion et après, on ne les reverra plus.

Chômeur et fonctionnaire

Quelle est la différence entre un chômeur et un fonctionnaire?

Le chômeur a déjà travaillé.

Question

Le professeur demande à un élève quel est le travail de son père.

— Fonctionnaire, répond l'élève.
— Et ta mère?
— Ben, elle fait rien non plus.

Naufrage

C'est un avocat et un charpentier qui ont fait naufrage sur une île déserte. Tout à coup, ils aperçoivent au loin un bateau de secours qui a échappé au naufrage. Mais l'île est entourée de requins. L'avocat dit au charpentier:

— Au diable! Je vais chercher le bateau!

L'avocat saute à l'eau. Non seulement nage-t-il jusqu'au bateau sans problème, mais les requins le portent sur leur dos pour l'amener. Au retour, les requins poussent le bateau jusqu'à la plage. Le charpentier est bouche bée et demande à l'avocat:

— Comment t'as fait ça?

L'avocat répond:

— Entre confrères, faut s'aider.

Combien?

Pendant une réunion du gouvernement, un ministre se penche vers un autre ministre et lui glisse à l'oreille:

— Dites-moi, vous avez combien de fonctionnaires qui travaillent sous vos ordres?

Le ministre lui répond, après avoir réfléchi:

— Oh! Disons un sur dix.

Brune, rousse et blonde

Une brune, une rousse et une blonde travaillent dans le même bureau. Chaque jour, elles remarquent que leur patronne s'en va tôt en fin de journée.

Les filles décident alors de partir tôt elles aussi, juste après leur patronne.

La brune est tout excitée à l'idée de rentrer tôt à la maison. Elle peut aller s'entraîner et prendre le temps de se cuisiner un bon souper.

La rousse est vraiment heureuse de pouvoir se prélasser dans son bain avant de se rendre à un rendez-vous au restaurant.

La blonde est contente de rentrer à la maison plus tôt pour retrouver son mari, mais quand elle veut entrer dans sa chambre, elle entend du bruit à l'intérieur. Doucement, elle entrouvre la porte et voit son mari au lit avec sa patronne. Et tout aussi doucement, elle referme la porte et se glisse hors de la maison.

Le jour suivant, pendant la pause café, la brune et la rousse ont encore l'intention de quitter le bureau plus tôt et demandent à la blonde si elle fera comme elles.

— Pas question! j'ai failli me faire prendre, hier!

Heures

Le chef du gouvernement annonce son intention de faire appliquer la semaine de 35 heures dans la fonction publique, et ce, progressivement.

— En effet, dit-il, les fonctionnaires verraient leur temps de travail hebdomadaire passer de 30 à 31 heures, puis à 32… jusqu'à 35 heures.

Sieste

Dans un bureau du ministère, le ministre passe dans le corridor et voit un de ses fonctionnaires dormir.

— DURAND! lui crie le ministre, ça fait trois fois que je vous surprends à dormir pendant vos heures de travail. Si ça continue, je vais devoir sévir!

— Mais c'est pas de ma faute, c'est à cause de vos chaussures, monsieur le Ministre.

— Mes chaussures?

— Ben oui, avec vos nouvelles semelles, on ne vous entend plus venir.

Bonne et mauvaise nouvelle

Un milliardaire, patron d'un empire de la presse, reçoit un coup de fil de son avocat.

— J'ai une bonne et une mauvaise nouvelle pour vous. Vous voulez d'abord la bonne ou la mauvaise?

— Dites toujours la bonne...

— Votre femme détient une photo qui vaut bien un million de dollars.

— Super! Et quelle est la mauvaise?

— La mauvaise, c'est qu'il s'agit de vous avec votre secrétaire.

Réveil

Un fonctionnaire se réveille en sursaut dans son bureau à 18 h.

— Merde! dit-il, j'ai travaillé une heure de trop!

Tourisme

C'est un autobus de touristes japonais qui passe devant un édifice gouvernemental. Un des touristes demande au guide de quoi il s'agit.

— Eh bien! c'est un de nos plus grands centres de fonction publique, lui dit le guide.
— Combien de personnes travaillent là-dedans? demande le touriste.
— Oh! pas plus de 5 %.

Règle d'or

Un fonctionnaire à l'un de ses collègues:

— J'ai une règle d'or: le matin, j'arrive toujours le premier.
— Ah bon! Et pourquoi?
— Parce que ça me gênerait d'être le dernier à rien faire.

Avocat

Un homme demande à un avocat:

— Quel est le montant de vos honoraires?

— 350 $ pour trois questions.

— N'est-ce pas un peu excessif?

Et l'avocat lui répond:

— Si. Quelle est votre troisième question?

Liaisons

— Vous savez, confie une dame à sa bonne, je suis persuadée que mon mari a une liaison avec sa secrétaire.

— Oh! proteste la bonne, madame dit cela pour me rendre jalouse.

Secrétaire et patron

La secrétaire annonce à son patron:

— J'ai une bonne et une mauvaise nouvelle.

— Eh bien! donnez-moi la bonne.

— Vous n'êtes pas stérile.

Grave question

Une vieille femme vient voir son avocat car elle doit lui payer une note d'honoraires de 100 $. Elle lui remet un billet de 100 $, mais ne se rend pas compte qu'un autre billet de 100 $ est resté collé au premier. Le soir même, l'avocat se rend compte de l'existence de ce second billet et se pose alors une très grave question éthique: «Dois-je en informer mon associé?»

Hiérarchie

Un lapin passe tous les jours devant le serpent et lui dit chaque fois:

— Salut, patron!

Un matin, le serpent dit au lapin:

— Mais je ne suis pas patron.
— Ah bon! dit le lapin, j'aurais pourtant juré. Comme t'as une petite tête, pas de couilles et que tu rampes devant tout le monde…

Contrat

La clôture entre l'enfer et le paradis est brisée. Saint Pierre va voir Satan et lui dit:

— Comme convenu dans notre contrat, nous devons payer, chacun notre côté, 50-50.
— Saint Pierre! Tu peux oublier ça! Je ne paierai pas pour ça!
— Puisque c'est comme ça, je vais prendre un avocat, lui dit saint Pierre.

Satan éclate de rire et dit:

— Et où vas-tu le trouver, ton avocat?

Annonce

Deux médecins discutent dans le couloir d'un hôpital.

— Est-ce que tu as dit à l'avocat de la chambre 16 qu'il allait bientôt mourir?

— Bien sûr que je lui ai dit.

— Zut! Je voulais être le premier à lui dire!

NASA

La NASA passe en entrevue trois personnes ayant réussi les tests physiques pour séjourner dans l'espace, et qui pourraient bientôt être envoyées sur Mars. Ces trois personnes ont des métiers différents. Le premier est ingénieur. On lui demande combien il désire pour partir vers Mars.

— Cinq millions de dollars, répond l'ingénieur, et je le donnerai pour la recherche sur la fusion nucléaire.

Le deuxième est médecin. On lui demande combien il désire pour partir vers Mars.

— Dix millions de dollars. La moitié ira à ma famille et l'autre moitié à la recherche sur le cancer.

Le troisième est avocat. On lui demande combien il désire pour partir vers Mars. L'avocat se penche vers le responsable et lui chuchote:

— Quinze millions de dollars.

— Pourquoi autant? Vous en demandez beaucoup plus que les deux autres.

— Si vous me donnez 15 millions, répond l'avocat, je vous donne cinq millions, je garde cinq millions, et on envoie l'ingénieur.

Avocat criminel

Un homme demande à une dame lors d'une soirée:

— Votre mari est avocat dans quel secteur, madame?

— Il est avocat criminel.

— Oui, d'accord, c'est évident, mais dans quel secteur exerce-t-il son métier?

Première impression

Un jeune homme d'affaires se lance en créant sa propre entreprise. Il a hâte de recevoir son premier client, et il souhaite faire une très forte impression dès le départ. Si bien que lorsqu'il entend frapper à sa porte, il dit «Entrez», et tout de suite il décroche son téléphone pour simuler une conversation animée.

— Je suis désolé, monsieur, mais mon emploi du temps est tellement chargé que je ne pourrai pas m'occuper de vous avant un mois. Je vous rappellerai dès que je pourrai. Au revoir!

Puis, le jeune homme d'affaires se tourne vers le visiteur et lui demande:

— Bonjour. Que puis-je faire pour vous?

Et le gars répond:

— Je suis de la compagnie de téléphone et je suis venu pour vous brancher.

Opération

À l'hôpital, un inspecteur des impôts est en train de se réveiller après une très grave opération. Il fait très sombre dans la chambre car les rideaux sont tirés. Lorsque le médecin passe, il lui demande pourquoi les rideaux ne sont pas ouverts. Le chirurgien répond:

— Il y a eu un grand incendie dans l'immeuble juste en face et on ne voulait pas que vous pensiez que l'opération avait échoué.

Création

Un soir, dans un bar, trois amis passent le temps en parlant autour d'un verre. Il y a un médecin, un avocat et un ingénieur. Après quelques verres, ils se mettent à spéculer sur l'origine de leur profession. Le médecin commence.

— Au tout début, Dieu prend une côte d'Adam pour créer Ève. Dieu était un chirurgien, c'est donc la profession des médecins qui est la plus ancienne.

— Oui, lui dit l'ingénieur, tu n'as pas tort là-dessus, mais encore avant cela, Dieu créa la Terre, le Soleil et tout l'Univers à partir du chaos. Dieu était donc un ingénieur avant d'être chirurgien. Les ingénieurs sont donc la profession la plus ancienne.

L'avocat, souriant, leur demande:

— Et d'après vous, qui a créé le chaos?

Coupe de cheveux

Un gars est chez le coiffeur; celui-ci lui demande quelle coupe il désire. Le gars lui répond:

— Je voudrais que ça soit rasé sur le côté gauche, que j'aie des favoris mais juste à droite et de travers, une brosse sur le dessus mais avec un trou au milieu, et la nuque dégarnie mais avec quelques touffes par-ci, par-là.

— C'est pas une coupe, ça! lui répond le coiffeur.

— Ah non? lui dit le gars. Pourtant, c'est ce que vous m'avez fait la dernière fois.

Promotion

Le grand patron d'une très grosse société convoque un de ses collaborateurs et lui dit:

— Vous avez fait, jusqu'à présent, un parcours exceptionnel au sein de notre groupe. Entré comme coursier, vous êtes devenu en trois mois chef de bureau, puis quatre mois après, chef de service. Un an plus tard, vous étiez directeur général adjoint. Eh bien! j'ai le plaisir de vous annoncer qu'à compter de ce jour, vous êtes nommé directeur général. Par ailleurs, je proposerai dès la semaine prochaine votre entrée au conseil d'administration, et je ne vous cache pas que je songe à vous pour ma succession. Qu'en dites-vous?

— Merci, papa!

Atterrissage d'urgence

Un avion a des problèmes de moteur en plein vol et il va falloir procéder à un atterrissage d'urgence. Le pilote prévient les passagers en leur demandant de rester bien calés sur leur siège, ceintures attachées et la tête entre les genoux. Deux minutes après ce message, le pilote demande à l'hôtesse si ses consignes sont respectées, et elle lui répond:

— Oui, tout le monde est prêt pour l'atterrissage. Il y a juste cet assureur qui est en train de passer dans les rangs en distribuant des cartes de visite.

Lit de mort

Un vieil avare va mourir seul, sans famille et sans ami. Peu avant sa mort, il reçoit son avocat, son médecin et son curé pour leur donner à chacun 10 000 $ comptant avec pour mission d'enterrer cet argent avec lui le jour de ses funérailles. La mort et l'enterrement ont lieu une semaine plus tard.

Après l'enterrement, le curé, le docteur et l'avocat discutent. Le curé leur confie que son église ayant un besoin urgent d'un nouveau clocher, il a gardé 2 000 $ pour sa réfection.

Le docteur, qui était un scientifique faisant des recherches sur le cancer, confesse que lui aussi a gardé de l'argent, 3 000 $, pour continuer ses recherches.

L'avocat les blâme:

— Comment pouvez-vous être si malhonnêtes? Moi, au moins, j'ai placé dans le cercueil un chèque de 10 000 $.

Contes de fées

— Maman, demande une petite fille, pourquoi les contes de fées commencent toujours par «Il était une fois»?

— Pas toujours. Il y en a qui commencent par «Excuse-moi, chéri, le patron m'a retenu au bureau jusqu'à 23 h».

Accueil

Après sa mort, un prêtre arrive au paradis. Une dizaine d'anges l'accompagnent jusqu'à saint Pierre qui lui fait visiter les lieux. Le prêtre trouve le paradis très plaisant, et ne regrette pas toute sa vie passée à accomplir de bonnes actions.

Un jour où il se reposait, il entend des cris de joie et de la musique venant de la porte du paradis. En s'approchant, il voit une centaine d'anges et de saints formant un nuage blanc. L'orchestre du paradis joue de grands airs. La cérémonie est grandiose et tout à fait unique. Voulant savoir qui est ce nouvel arrivant qui mérite un tel accueil, le prêtre demande à saint Pierre:

— Pour qui est cette parade? Moi qui ai servi Dieu toute ma vie, je n'ai pas reçu le dixième de cet accueil. Qu'a donc fait le nouvel arrivant pour mériter un tel remue-ménage?

— Eh bien! lui répond saint Pierre, c'est que vous voyez, cela fait 2000 ans que l'on reçoit des prêtres et des religieuses, mais aujourd'hui, c'est notre premier avocat.

Chef

Le père dit au petit Stéphane, qui n'a que cinq ans:

— Tu dois manger tous tes épinards si tu veux devenir fort comme papa.

— Je ne veux pas être fort comme papa, je veux être chef comme maman.

Chauve

Un homme complètement chauve est régulièrement l'objet de plaisanteries plus ou moins spirituelles de la part de ses collègues de bureau. Un jour, l'un d'entre eux pose la main sur son crâne et lui lance:

— Tu veux que je te dise? C'est exactement comme les fesses de ma femme!

Le chauve tâte à son tour le sommet de sa tête et s'écrie:

— Mais tu as raison, c'est vrai!

Décédé

Dans un cabinet d'avocats, la réceptionniste prend un appel.

— Ici le cabinet d'avocats Smith et Wesson, bonjour.

— Bonjour. Pourrais-je parler à maître Wesson? demande un homme.

— Je suis désolée, mais maître Wesson est décédé hier.

L'homme raccroche et rappelle aussitôt.

— Ici le cabinet d'avocats Smith et Wesson, bonjour, répond la réceptionniste.

— Bonjour. Pourrais-je parler à maître Wesson? demande l'homme.

— Je suis désolée, mais maître Wesson est décédé hier.

L'homme raccroche et rappelle aussitôt.

— Ici le cabinet d'avocats Smith et Wesson, bonjour, répond la réceptionniste.

— Bonjour. Pourrais-je parler à maître Wesson?

— Monsieur, cela fait déjà deux fois que je vous dis que maître Wesson est décédé hier. Je pense que vous avez compris, maintenant.

— Oui, j'ai très bien compris. Mais j'aime tellement vous entendre le dire.

Prêt bancaire

Une femme entre dans une banque à New York et demande de voir le gérant pour un prêt. La femme lui explique qu'elle part en Europe pour deux semaines et qu'elle a besoin d'emprunter 5 000 $. Le gérant lui demande quelques références ou garanties avant de lui accorder le prêt. La femme lui remet donc les clés de sa nouvelles Rolls Royce qui est stationnée juste devant la banque. Après vérification, le gérant accepte de lui accorder le prêt et de garder la voiture en garantie. L'assistant du gérant va donc chercher la voiture et la gare prudemment dans le stationnement souterrain de la banque.

La femme les remercie et s'en va. Le gérant et son assistant rigolent un bon coup: une voiture de 250 000 $ contre un prêt de 5 000 $. Ils se disent que ça prend juste une femme pour faire ce genre d'affaires.

Deux semaines plus tard, la femme revient à la banque et rembourse le prêt de 5 000 $ plus les intérêts qui s'élèvent à 15,41 $. Le gérant de la banque dit alors à la dame:

— Mademoiselle, nous sommes très heureux de faire des affaires avec vous et vous avez respecté nos arrangements sans problèmes, mais nous avons vérifié votre dossier de crédit et nous avons découvert que vous êtes multimillion-naire. Alors, pourquoi nous avoir emprunté 5 000 $?

La femme lui répond aussitôt:

— Connaissez-vous un autre endroit à New York où l'on peut stationner sa voiture pendant deux semaines pour seulement 15,41 $ et la retrouver intacte quand on vient la récupérer?

Interrogatoire

Un avocat fait le contre-interrogatoire d'un médecin patho-logiste lors d'un procès. Le but de la manœuvre est d'établir avec certitude l'heure de la mort.

L'avocat demande au médecin pathologiste:

— À quelle heure avez-vous examiné la victime?
— Vers 22 h.
— Et la victime était morte à cette heure, dit l'avocat, nous sommes d'accord?

— Non, répond le médecin avec ironie, l'homme était assis sur la table et me demandait pourquoi j'allais l'autopsier.

Café

Une blonde a accepté récemment un travail comme secrétaire. Sa première tâche est d'aller chercher du café. Empressée de montrer son mérite à ses nouveaux patrons, elle prend un gros thermos et se rue vers le restaurant. Elle tend le thermos afin de le faire voir à la serveuse et elle lui demande:

— Est-ce assez gros pour contenir six tasses de café?

La serveuse regarde le thermos et lui répond:

— Oui, ça semble contenir à peu près six tasses.
— Super! dit la blonde avec un soupir de soulagement, donne-moi trois cafés réguliers, un café noir et deux décaféinés.

Métier

Une bonne femme discute avec une autre:

— Mon premier fils est coiffeur pour dames. Le second est homosexuel également.

Voyage en train

Quatre hommes d'affaires voyagent en train: un Russe, un Cubain, un Américain et un avocat se trouvent dans le même compartiment. Le Russe prend une bouteille de vodka de son sac de voyage, s'en verse un verre, le boit et dit:

— En Russie, nous avons la meilleure vodka du monde. Et nous en avons tellement que l'on peut la jeter comme on veut...

Et le Russe jette le reste de la bouteille par la fenêtre. Le Cubain prend alors sa boîte de havanes dans sa poche, en sort un, l'allume, commence à fumer et dit:

— À Cuba, nous avons les meilleurs cigares du monde. Nous en avons tellement chez nous que je peux me permettre de les jeter par la fenêtre.

Et le Cubain jette ses cigares par la fenêtre. L'Américain, qui ne veut pas être en reste, empoigne l'avocat et le jette par la fenêtre.

Comédien

Depuis plusieurs mois, un comédien n'a aucun engagement, aucune proposition. Mais un jour, un directeur de théâtre lui téléphone pour lui offrir un rôle dans *Le Misanthrope*, un contrat de trois mois pour une tournée, mais le directeur lui explique:

— Ou bien l'acteur qui a le rôle doit se faire opérer, et vous le remplacez. Ou bien vous ne jouez pas et on vous enverra un télégramme pour annuler. Si demain midi, au plus tard, vous n'avez rien reçu, c'est que vous partez en tournée avec nous. Rendez-vous à 14 h en bas de nos bureaux.

Fou de joie, le comédien prépare sa valise et passe la moitié de la nuit à répéter son texte. Le lendemain matin, il attend dans l'angoisse, sursautant chaque fois qu'il entend l'ascenseur s'arrêter à l'étage, priant le ciel que ce ne soit pas le télégraphiste. À midi moins deux, il commence à respirer. Juste à ce moment-là, on sonne à la porte. Le cœur battant, il va ouvrir et se trouve face à un préposé qui lui tend un télégramme. Il l'ouvre d'une main tremblante et lit. C'est alors que sa femme se précipite vers lui:

— Mauvaise nouvelle, mon chéri?

— Non, non, fait-il joyeux, rassure-toi! C'est seulement ta mère qui est morte.

Lâche

Un gars vraiment lâche et sourd se balade dans la rue. Il se sent très coupable et comme il sait qu'il ne peut pas s'entendre, il se parle à voix haute:

— Si je m'écoutais, j'irais au bureau.

Dure nuit

Un rabbin, un hindou et un avocat sont ensemble en voyage dans une voiture. Il est très tard et la voiture tombe en panne. Ils se mettent à la recherche d'aide ou d'un abri pour la nuit. La première maison qu'ils rencontrent est celle d'un fermier; celui-ci les accueille de bon cœur, mais leur

explique qu'il n'a que deux lits pour eux et qu'un des trois voyageurs devra aller dormir avec les animaux à l'étable. Le rabbin s'offre donc pour aller dormir à l'étable. Mais dix minutes plus tard, il frappe à la porte de la chambre de ses compagnons et

leur dit:

— Je ne peux pas dormir à l'étable, il y a un cochon et ma religion m'interdit de dormir en compagnie de cet animal.

L'hindou propose alors d'aller dormir dans l'étable à la place du rabbin, mais lui aussi revient frapper à la porte au bout de 10 minutes en disant:

— Je ne peux pas dormir à l'étable moi non plus. Il y a une vache et ma religion ne me permet pas de partager ma couche avec des vaches.

L'avocat qui veut dormir, propose d'aller à l'étable en expliquant que lui n'a pas de problème de religion avec les animaux.

Mais 10 minutes plus tard, on frappe à la porte de la chambre: la vache et le cochon veulent entrer.

Mafia

C'est le parrain de la mafia qui appelle dans son bureau ses trois protégés les plus fidèles et demande:

— Julio, 2 + 2, ça fait combien?

— 5, patron.

— Mario, 2 + 2, ça fait combien? demande le parrain.

— 5, patron.

— Et toi, Tino, 2 + 2, ça fait combien?

— Euh… 4, patron, répond Tino.

Le parrain sort son revolver et tire sur Tino, qui meurt sur le coup. Le parrain regarde les deux autres et dit:

— Il en savait trop.

Serment

— Vous semblez posséder une intelligence supérieure à la moyenne pour quelqu'un issu de votre milieu, dit l'avocat au témoin à la barre.

Et le témoin lui répond:

— Si je n'étais pas sous serment, je vous retournerais le compliment!

Explication

Un employé se pointe à 11 h au bureau, tout essoufflé. Manque de chance, son patron le voit et lui dit:

— C'est maintenant que vous arrivez? Vous avez une explication à me donner?

— Patron, je vous prie de m'excuser, mais ma femme va avoir un bébé…

— Pardonnez-moi, je ne savais pas. C'est pour aujourd'hui?

— Non! C'est pour dans neuf mois.

Ville

Un employé de la Ville appelle au bureau.

— On a besoin de pelles au chantier 22.

— Y en a plus de disponibles, mais je vous envoie des pics, comme ça vous pourrez vous accoter pareil.

Histoire de secrétaires

Deux secrétaires travaillent et discutent.

— Oh! dis donc, Bernard et moi on s'est encore disputés hier soir!

— Ah bon? Et pourquoi cette fois? demande sa collègue.

— Ben, il cherchait quelque chose dans la salle de bains et il est tombé sur ma boîte de pilules...

— Et alors, il n'y a pas de quoi s'engueuler!

— Oui, mais il a quand même subi une vasectomie il y a deux ans...

L'araignée

C'est un fonctionnaire assis à son bureau. À un certain moment, il voit passer une araignée. Il vient pour l'écraser, mais se ravise. Aussitôt, l'araignée se transforme en fée qui lui dit:

— Tu m'as épargnée. Pour te récompenser, je peux t'exaucer trois vœux.

— J'aimerais me retrouver sur une plage avec les plus belles filles du monde.

Et pouf! Le voilà sur une plage entouré de jolies filles.

— Et maintenant, quel est ton deuxième vœu?

— J'aimerais avoir de la bière jusqu'à la fin de mes jours.

Et pouf! Le voilà avec des millions de barils de bière.

— Et maintenant, quel est ton troisième souhait? lui demande la fée.

— J'aimerais ne plus travailler jusqu'à la fin de mes jours.

Et pouf! Le revoilà assis à son bureau.

Avare

«Mon patron est tellement avare qu'il garde les dentiers de sa femme au bureau pour être certain qu'elle ne mange pas entre les repas.»

Dur, le travail

Un fonctionnaire rentre du travail, épuisé. Il dit à sa femme:

— Je te dis, chérie, au bureau on a du travail comme quatre. Une chance qu'on est douze.

Ouvrir un compte

Un homme, particulièrement vulgaire, s'adresse à l'employée d'une banque:

— Je voudrais ouvrir un tabarnac de compte dans ta banque de caves! Et grouille-toi le cul, grosse épaisse!

La jeune femme blêmit et réplique:

— Mais vous êtes fou, monsieur? Qu'est-ce qui vous prend de me parler comme ça?

— T'as pas compris, connasse? lui crie l'homme, je veux ouvrir un tabarnac de compte dans cette banque de merde!

Le gérant de la banque, qui a entendu le client crier, arrive à la rescousse de la pauvre employée.

— Je peux vous aider, monsieur?

Le type reprend:

— Eh! le cave! Je viens déposer dans ta banque de cons les 35 crisses de gros millions que je viens de gagner à la loterie. Et si ta banque d'épais se grouille pas le cul, je vais aller ailleurs.

Et le directeur lui répond:

— Et c'est cette grosse conne qui vous énerve?

Métro

C'est l'heure de pointe dans le métro. Deux secrétaires rentrent du travail dans un wagon bondé. La première murmure à l'oreille de l'autre:

— Gisèle, je ne peux pas me retourner, mais dis-moi si le type qui est derrière moi est beau.
— Il est jeune, lui répond Gisèle.
— Je te demande s'il est beau, pas s'il est jeune! Je le sens qu'il est jeune!

Service

Le directeur d'un grand magasin se promène dans les rayons quand il entend un vendeur dire à une jeune femme:

— Je n'en ai plus depuis 15 jours! Je n'en ai plus et je n'en aurai plus!

Le directeur le fusille du regard et lui dit, sèchement:

— Vous passerez tout à l'heure à mon bureau.

Et le directeur dit à la jeune femme:

— Je vous prie de nous excuser, madame. Bien entendu, nous sommes là pour satisfaire notre clientèle. Je vous garantis que nous allons en avoir d'autres dès cette semaine, et je les ferai livrer gracieusement chez vous. Puis-je vous demander vos nom et adresse?

Abasourdie, la jeune femme lui donne les informations et s'en va. Alors le directeur se tourne vers le vendeur et lui demande, d'un ton sévère:

— Que désirait cette dame?
— C'est ma petite amie, monsieur le directeur, elle voulait savoir si j'avais toujours des morpions.

Poupée

Une petite fille qui a passé la journée en visite au bureau de son père lui demande, une fois à la maison:

— Papa, pourquoi tu appelles ta secrétaire «poupée»?

Avant que son épouse dise quoi que ce soit, le père répond:

— C'est juste une expression, parce qu'elle est drôle et que ça fait du bien de l'avoir autour. Elle travaille à l'ordinateur comme une pro et est vraiment très bonne quand elle répond au téléphone. Elle n'est jamais en retard et mange toujours à son bureau.

— Ah bon! je pensais que tu l'appelais «poupée» parce que ses yeux se fermaient tout seuls quand elle se couchait sur le divan de ton bureau avec toi.

Patron

Une secrétaire annonce à son patron:

— Monsieur, je crois qu'on vous demande au téléphone.

— Comment ça, «vous croyez»? On me demande ou on ne me demande pas?

— Eh bien! dit la secrétaire, la personne en ligne a dit: «Est-ce que l'autre crétin est dans son bureau?»

Vol de perroquet

Un gars prend l'avion. Lorsqu'il arrive à son siège, il voit un perroquet, bien assis à la place à côté de lui. Durant le voyage, le gars demande un café à l'hôtesse et le perroquet en profite et dit:

— Pis amène-moi un scotch, la bonne à rien!

Deux minutes plus tard, l'hôtesse, un peu frustrée, rapporte un scotch au perroquet mais pas de café pour le gars. Le

gars lui demande à nouveau un café. Le perroquet, qui a déjà calé son verre, dit:

— Pis amène-moi un autre scotch, face de singe!

Deux minutes plus tard, l'hôtesse, encore plus frustrée, apporte le scotch mais pas le café. Le gars se tanne
et décide de tenter l'approche du perroquet.

— Eh! Ça fait deux fois que je demande un café pis je l'ai
pas! Apporte-moi un café, espèce d'innocente!

Sans avoir vu quoi que ce soit, le gars et le perroquet se
retrouvent éjectés de l'avion par l'hôtesse en colère. Le perroquet regarde le gars et lui dit:

— Pour quelqu'un qui sait pas voler, on peut dire que tu as
du culot!

Erreur

Un patron appelle sa secrétaire pour lui dicter une lettre.
Elle entre dans le bureau avec un tampon hygiénique coincé
sur l'oreille droite.

— Qu'est-ce que vous avez sur votre oreille? lui demande
son patron.

Elle y porte la main, prend le tampon, devient toute rouge et
s'écrie:

— Mon Dieu! Où ai-je mis mon stylo?

Perroquet

Un type veut acheter un perroquet. Le vendeur lui dit, à propos du perroquet qui semble intéresser le client:

— Il est bilingue, il parle anglais et français.

— Ah oui? Comment on choisit la langue?

— Très simple, il a un fil à chaque patte. Vous tirez sur le fil de droite, il parle français. Vous tirez sur le fil de gauche, il parle en anglais.

— Et si je tire sur les deux fils à la fois?

Et le perroquet lui répond:

— Je me casse la gueule, épais!

Retard

Un patron est vraiment très sévère avec ses employés. Un matin, un de ses assistants arrive une heure en retard, très amoché, en sang et couvert de bandages. Il rampe jusqu'à son bureau et le patron lui dit:

— Qu'est-ce que t'as fait? T'es une heure en retard.

L'employé lui dit:

— Je suis désolé, mais j'ai déboulé des marches d'escalier.

— Pis ça t'a pris une heure?

Dédommagements

Un homme est reçu dans le somptueux bureau d'un jeune et riche homme d'affaires.

— Vous connaissez le motif de ma visite, dit l'homme, rouge de colère. Profitant de l'innocence de ma fille qui a tout juste 18 ans, et qui était secrétaire chez vous, vous l'avez séduite et mise enceinte! Je peux savoir ce que vous comptez faire?

— Monsieur, répond le riche homme d'affaires, je suis marié, j'ai deux jeunes enfants et il n'est pas question que je divorce. En revanche, je suis prêt à apporter mon aide. Bien entendu, je prends à ma charge tous les frais d'accouchement et le trousseau du bébé. Dès sa naissance, je ferai mettre sur un compte bloqué une somme de trois millions qu'il touchera à sa majorité. J'achèterai à votre fille un appartement confortable, à son nom, et je lui verserai une pension mensuelle de 8 000 $, révisable chaque année. Avez-vous des questions?

— Oui, dit le père. Si elle fait une fausse couche, est-ce que vous lui donnerez une deuxième chance?

Patron...

Deux secrétaires discutent.

— Il est plutôt beau bonhomme, le nouveau patron. En plus, il s'habille bien...

— Et vite, lui dit sa collègue.

Test

Une blonde et une brune postulent un emploi de secrétaire. Comme elles ont les mêmes qualifications, le chef du personnel leur propose un petit test pour les départager. Les deux candidates répondent bien à neuf des dix questions. Le chef du personnel convoque la blonde dans son bureau. Il explique:

— Vous êtes à égalité, mais j'ai le regret de vous annoncer que j'ai retenu l'autre candidate.

Déçue, la blonde demande des explications. Le chef du personnel se justifie:

— Je n'ai pas pris ma décision sur les neuf réponses justes, mais sur la mauvaise réponse.

— Mais comment une mauvaise réponse peut-elle être plus mauvaise qu'une autre? se plaint la blonde. Ce n'est pas juste.

— C'est simple, lui répond le chef du personnel, à la question numéro 7, l'autre candidate a répondu «Je ne sais pas», et vous, vous avez inscrit «Moi non plus».

Fonctionnaires...

Que se disent deux fonctionnaires qui se croisent dans le couloir au bureau l'après-midi?

— Ah! toi aussi tu as de la misère à dormir!

Bonne job

Un gars raconte à un ami.

— Je me suis trouvé une super bonne job, j'ai 500 personnes en dessous de moi.
— Qu'est-ce que tu fais?
— Je tonds le gazon au cimetière.

Avocats

Au début d'un procès, les deux avocats représentant chacune des parties sont en train de s'engueuler.

— T'es un hypocrite, un menteur pis un visage à deux faces!
— Ah oui? Ben toi, t'es un voleur, un fraudeur pis un bandit!

Le juge intervient alors:

— Bon, maintenant que les présentations sont faites, est-ce qu'on peut commencer?

Question

Une mère va dans un bureau de fonctionnaires avec son fils. Le garçon, impressionné par la grandeur des bureaux, demande à sa mère:

— Dis, maman, il y a combien de personnes qui travaillent ici?
— À peu près la moitié, mon chéri.

Contrôleur ferroviaire

Un gars veut un boulot de contrôleur ferroviaire. On lui demande de rencontrer un inspecteur pour passer des tests. Celui-ci commence à lui poser des questions.

— Que faites-vous si vous vous apercevez que deux trains allant en sens contraire utilisent la même voie?

— Dans ce cas, je change un des trains de voie, répond le gars.

— Et si la commande électrique ne répond pas?

— Alors, je laisse tomber l'électronique pour aller actionner le levier manuel sur la voie elle-même.

— Et si le levier manuel a été frappé par la foudre? demande l'inspecteur.

— Alors, je retourne à mon poste d'aiguillage en courant pour prévenir par téléphone le poste d'aiguillage précédent de faire le nécessaire.

— Et si la ligne est occupée?

— Alors, je quitte le poste d'aiguillage et je vais en courant vers le poste téléphonique d'urgence situé au passage à niveau.

— Et si ce poste a été détruit par des vandales?

— Oh... Alors, je vais en courant jusqu'au village prévenir mon oncle Roger!

L'inspecteur est surpris de la réponse et demande:

— Ah? Et pourquoi cela?

— Parce qu'il n'a jamais vu d'accident ferroviaire.

Techniques de vente

Un jeune homme est dans un magasin grande surface pour un nouvel emploi.

Alors le gérant l'envoie avec un vieil employé pour qu'il voie comment il procède. Un monsieur se présente et veut acheter de l'engrais; le vieil employé lui demande s'il veut un sac de 20, de 30 ou de 40 lb. Alors, le vendeur lui demande:

— Une tondeuse avec ça?
— Une tondeuse? Pourquoi? demande le client.
— Ben, si tu engraisses ton terrain, t'auras besoin de tondre après, dit l'employé.

Et le client achète aussi une tondeuse. Un autre client se présente et demande du boyau d'arrosage. Le vieil employé lui demande s'il en veut 20, 30 ou 40 pi. Le vieil employé lui offre à lui aussi une tondeuse en lui expliquant:

— Si tu arroses ton terrain, tu auras besoin de tondre après.

Et le client achète aussi une tondeuse.

Le jeune homme était bien impressionné par le vieil employé car, chaque fois, le vendeur avait réussi à vendre une tondeuse en plus. Le vieil employé dit au jeune homme:

— Maintenant, c'est à toi de me montrer si tu as bien compris.

Un client entre et demande des serviettes hygiéniques. Le jeune vendeur lui demande s'il veut des boîtes de 20, de 30 ou de 40 et lui dit aussitôt:

— Une tondeuse avec ça?

Le client lui répond:

— Qu'est-ce que tu veux que je fasse avec ça?

— Comme votre fin de semaine est à l'eau, vous pourriez tondre votre gazon.

Oreilles

Un homme d'affaires redoutable, ayant subi un grave accident d'auto, s'est fait amputer les deux oreilles. Comme il est débordé par le travail, il veut engager un homme de confiance. Par contre, comme il est très complexé par son handicap, le candidat idéal devrait être des plus discrets. Il commence donc les entrevues. Quand le candidat n° 1 a bien répondu aux questions d'usage, l'homme d'affaires lui demande:

— Quand tu me regardes, tu remarques quelque chose de bizarre?

— Euh... oui! répond le candidat, vous n'avez pas d'oreilles!

L'homme d'affaires, agacé, le fait sortir de son bureau. Le candidat n° 2 arrive. Après avoir répondu avec brio aux questions, l'homme d'affaires est emballé, mais demande quand même:

— Quand tu me regardes, tu remarques quelque chose de bizarre?

— Euh... oui! répond le candidat, vous n'avez pas d'oreilles!

L'homme d'affaires, agacé, le fait sortir de son bureau.

Le candidat n° 3 arrive. Il est parfait, mais l'homme d'affaires lui demande:

— Quand tu me regardes, tu remarques quelque chose de bizarre?

Le candidat hésite un peu et répond:

— Oui... je vois que vous portez des verres de contact.

L'homme d'affaires, surpris, lui demande:

— Comment as-tu fait pour remarquer?
— Vous ne pouvez pas avoir de lunettes, vous n'avez pas d'oreilles!

Ménage

Un employé va voir son chef de service.

— Écoutez, chef, nous faisons de gros travaux de nettoyage à la maison et ma femme a besoin de moi demain pour l'aider.

Son patron lui répond:

— Écoute, tu tombes mal. La moitié du personnel est malade à cause de l'épidémie de grippe et on se retrouve avec beaucoup moins de monde. Je ne peux vraiment pas te donner congé demain.
— Merci, chef! Je savais que je pouvais compter sur vous!

Porte-à-porte

Un homme qui bégaie beaucoup se trouve un emploi comme vendeur de bibles. Son patron lui en donne cinq. Le gars revient dix minutes plus tard et les a toutes vendues. Le patron lui en donne quinze autres. Le gars revient trente minutes plus tard, ayant encore vendu toutes ses bibles. Le patron n'en revient pas et lui demande comment il fait. Le gars dit:

— Ben-ben cccc'est fafafafacile, je leur ddddis ssi ttttu veux veux pppas mme l'achchcheter, benben mmm'a ttte llla lllire ddd'abord!

Du sable

À la frontière de deux pays, un douanier intercepte un jeune homme en vélo avec deux énormes sacs de sable sur le dos. Le douanier demande:

— Qu'est-ce que c'est que ça?
— Du sable, monsieur!

Le douanier fait un sourire mesquin et fait inspecter les sacs du jeune homme. Après vérification, le douanier laisse partir le jeune homme avec ses sacs de sable. Le lendemain, le jeune homme revient en vélo avec encore deux gros sacs de sable. Le douanier demande à nouveau:

— Qu'est-ce que c'est que ça?
— Du sable, monsieur!

Le douanier décide donc d'envoyer les sacs pour analyse. Après plusieurs heures, les résultats sont formels: c'est du sable. Le douanier relâche le jeune homme. La scène se répète comme ça chaque jour, pendant des semaines. Chaque fois, les analyses démontrent que c'est toujours du sable.

Plusieurs années plus tard, alors que le douanier est à la retraite, il rencontre le jeune homme par hasard. Curieux, il lui demande:

— Dis-moi, je suis maintenant à la retraite, mais je me suis toujours demandé pourquoi vous transportiez du sable. Vous trafiquiez quelque chose, n'est-ce pas?
— Oui.
— Et qu'est-ce que vous trafiquiez?
— Des vélos!

Usine

Des gens visitent une usine de recyclage de caoutchouc. Les visiteurs s'arrêtent devant une première machine qui émet des sons étranges: «dong, plouss, dong, plouss.» Le directeur de l'usine explique:

— Vous voyez, ici on fabrique des tétines pour les biberons des bébés. Le «dong», c'est lorsque la tétine est moulée par la machine et le «plouss», c'est quand elle perce le petit trou.

Les visiteurs s'arrêtent ensuite devant une autre machine qui ne produit que des «dong» à répétition: «dong, dong, dong, dong, dong.» Le directeur de l'usine explique:

— Ça, c'est une machine qui fabrique des gants de vaisselle. Les cinq «dong», c'est lorsque les doigts des gants sont moulés.

Les visiteurs poursuivent la visite de l'usine et s'arrêtent devant l'atelier de conception des préservatifs. Ils entendent: «dong, dong, dong, plouss, dong, dong, dong, plouss.» Un visiteur dit:

— Votre machine est défectueuse, elle fait des trous dans les préservatifs!

— En effet, un préservatif sur quatre qui sort de l'usine est percé, dit le directeur.

— Mais c'est pas bon pour la réputation de la compagnie!

— Peut-être pas, mais c'est excellent pour le commerce des tétines!

Chômage

Deux types se rencontrent.

— Alors, vieux, comment vas-tu?

— Bah! je suis au chômage!

— Comment ça? Je croyais que ça marchait pour toi, ton travail de croque-mort?

— Oui, oui, je suis toujours croque-mort, mais on est dans une période morte!

Erreur

Un employé va se plaindre à la comptabilité:

— Il manque 20 $ sur ma paye.

— C'est exact, mais vous aviez 20 $ de trop sur votre dernière paye. Pourquoi n'avez-vous pas réagi à ce moment-là?

— Écoutez, une erreur, ça passe, mais deux, c'est trop!

Vendeur d'aspirateur

Un vendeur d'aspirateur entre, confiant, chez une cliente. Il présente son produit, s'empresse de sortir un sac de fumier et l'étend sur le tapis. La dame tente désespérément de l'arrêter, mais le vendeur ne l'écoute même pas.

— Écoutez, ma chère dame, dit le vendeur, inutile de vous emporter. Je peux vous certifier qu'il ne restera plus rien sur votre tapis dans quelques minutes. J'ai tellement confiance en mes produits que je peux vous dire que s'il reste quelque chose sur le tapis, je le mangerai!

— Bon, d'accord, lui dit la dame, vous voulez du ketchup avec votre fumier? Je n'ai plus d'électricité depuis deux jours.

Nom

Un employeur reçoit un candidat et lui demande:

— Quel est votre prénom?
— Dddenis, avec trois «d».
— Pourquoi trois «d»?
— Mon père bégayait!

Sac à main

Une femme perd son sac à main dans un centre commercial et le cherche depuis un bon moment. Un jeune adolescent, employé dans une boutique, arpente le corridor avec un sac à main et demande à la femme:

— Madame, est-ce que c'est à vous, ce sac à main?

— Mais oui, mon petit. Merci beaucoup, je suis heureuse de voir qu'il y a encore des gens honnêtes dans notre société!

La dame ouvre son sac à main, question de voir si tout y est. Elle dit au jeune homme:

— Tout y est, mais j'aurais juré que j'avais un 100 $!

— Vous aviez bel et bien un billet de 100 $, madame. C'est parce que la dernière fois que j'ai rapporté un sac à une dame, elle m'a dit qu'elle ne pouvait pas me donner de récompense parce qu'elle n'avait pas de change.

Qui parle?

Un homme est engagé dans une grande entreprise. Dès qu'il arrive dans son bureau, il prend le téléphone, compose le numéro de la cafétéria et crie:

— Apportez-moi un café et dépêchez-vous!

La voix au téléphone répond:

— Je crois que vous n'avez pas composé le bon poste. Savez-vous à qui vous parlez, espèce de crétin?

— Non!

— Vous parlez au grand patron, imbécile!

Le nouvel employé se fâche et crie encore deux fois plus fort:

— Et vous, espèce de gros bâtard, vous savez à qui vous parlez?

— Non!

— Parfait!

Et l'employé raccroche.

Rapide

Trois types sont dans un bureau, postulant le même emploi. Le patron donnera l'emploi à celui qui dira ce qu'il y a de plus rapide. Le premier dit:

— Ce qu'il y a de plus rapide, c'est la pensée. Y a rien de plus vite!

— Moi, je dis que c'est la lumière. C'est tellement rapide! répond le deuxième.

— C'est la diarrhée, répond le troisième.

Le patron, surpris, lui demande de s'expliquer:

— C'est simple, dit le gars, j'ai eu la diarrhée l'autre nuit, j'ai même pas eu le temps de penser d'allumer la lumière que j'avais fait dans mes culottes!

Canari

Une femme cherche un canari qui chante très bien. Elle va dans une animalerie, et le vendeur lui montre un canari qui coûte assez cher, 500 $, mais qui chante admirablement bien. La femme est subjuguée par le chant de l'oiseau et repart avec lui. Elle revient 15 minutes plus tard et dit au vendeur:

— Votre canari à 500 $, il a juste une patte.

— Ben là, madame, c'est un chanteur ou ben un danseur que vous cherchez?

Rabais

Une très jolie jeune fille entre dans une boutique. Elle demande au vendeur:

— C'est combien pour 1 m de tissu?

— Pour vous, charmante dame, ce sera un baiser.

— Parfait, j'en voudrais 5 m.

Le vendeur rougit, mais s'empresse de lui tailler les 5 m. Il revient au comptoir, donne le tissu à la jeune fille, et la regarde en attendant son dû. Elle se retourne et crie:

— Grand-papa, viens payer le vendeur!

Différence...

Quelle est la différence entre un dentiste et un patron?

Le dentiste dit d'ouvrir la bouche et le patron dit de la fermer.

Création

Lorsque Dieu créa l'homme, toutes les parties du corps se réunirent pour savoir qui serait le patron.

Le cerveau fit remarquer à l'assemblée que le poste lui revenait, puisque c'était lui qui contrôlait toutes les parties du corps.

Les jambes soutinrent qu'elles devaient être le patron, puisqu'elles conduisaient l'homme partout où il le voulait.

L'estomac estima que le fait de digérer tous les aliments lui méritait le poste de patron.

Les yeux réclamèrent le poste en disant que, sans eux, l'homme serait complètement démuni.

C'est alors que le trou du cul réclama lui aussi le titre de patron. Voyant cela, les autres parties du corps se mirent à faire des farces et à rire. Offusqué, le trou du cul se referma.

Après quelques jours, le cerveau commença à ramollir et les jambes à trembloter; l'estomac perdit son appétit et les yeux virent qu'ils voyaient mal.

Convaincus, ils décidèrent alors de nommer à l'unanimité le trou du cul leur seul et unique patron.

Morale de cette histoire: il n'est pas nécessaire d'être un cerveau brillant pour être patron. Être un trou de cul suffit.

Chien méchant

Un gars entre dans un magasin où c'est écrit sur la porte: «Attention, chien méchant.»

Mais à l'intérieur, il n'y a qu'un pauvre petit chien qui dort à poings fermés toute la journée. Le gars demande à l'épicier:

— Mais pourquoi ce panneau? Ton chien n'a rien d'un chien méchant.

— C'est parce qu'avant que je pose l'écriteau, tout le monde marchait dessus!

Looping

Un pilote qui prend sa retraite fait son dernier vol. Pour fêter ça, il veut faire un looping avec l'avion. L'hôtesse se branche sur l'intercom et dit aux passagers:

— Mesdames et messieurs, attachez vos ceintures, nous allons faire un exploit jamais réussi par un Bœing 747, un looping!

L'avion monte, sur le dos, descend et fait un looping digne d'un champion.

Un passager se lève et dit:

— Je suis représentant pour *Le livre Guinness des records* et je vais mettre cet exploit dans le livre, je vous en fais ma promesse. J'espère que tout le monde est content!

On entend alors un homme crier à l'intérieur des toilettes:

— PAS MOI!

Tarte aux carottes

C'est un pâtissier qui, tous les matins, a la visite d'un petit lapin qui lui demande toujours la même chose:

— Vous avez de la tarte aux carottes?

Et tous les matins, le pâtissier lui répond:

— Non, désolé, je n'en ai toujours pas.

Mais après quelque temps, ce sont des dizaines de lapins qui viennent chaque jour lui demander s'il a de la tarte aux carottes. Le pâtissier se dit alors: «Quand même, s'ils m'en demandent tous, c'est que cela représente un bon marché, je vais en fabriquer quelques dizaines.»

Et le lendemain matin, les dizaines de petits lapins arrivent devant sa boutique et lui demandent:

— Vous avez de la tarte aux carottes?

Et le pâtissier répond:

— Oui, aujourd'hui j'en ai plein, j'en ai fabriqué exprès pour vous.

Alors les petits lapins rigolent et disent tous en chœur:

— C'est pas bon, hein?

Taxi

Deux chauffeurs de taxi se rencontrent. Un des deux demande à l'autre:

— Veux-tu bien me dire pourquoi tu as fait peindre la moitié de ton taxi en rouge et que tu as laissé l'autre partie en jaune?

— Nouveau truc, mon vieux! En cas d'accident, les témoins ne peuvent que se contredire!

Œuvre d'art

Un homme se présente dans une exposition de peintures. Il discute avec un peintre et décide finalement d'acheter son œuvre. Le peintre dit:

— C'est bien, vous faites une bonne affaire, j'y ai mis 10 ans de ma vie!

— Dix ans? Comment pouvez-vous passer 10 ans de votre vie à peindre une toile?

— Pas 10 ans à la peindre, plutôt un jour à la peindre, mais le reste du temps à essayer de la vendre!

Harvard

Un jeune homme vient de graduer de la classe 2001 de l'Université Harvard. Il est si excité en pensant à son avenir. Il prend un taxi et le chauffeur lui demande:

— Alors, jeune homme, ça va, aujourd'hui?

— Oh oui! ça va! Je viens de graduer de l'Université Harvard et je pense à toutes les portes qui s'ouvrent à moi, à tous les emplois de rêve que je vais pouvoir décrocher grâce à mon diplôme!

— Félicitations! Moi, je suis diplômé de la classe de 1957.

Voyage pas cher

Trois ingénieurs et trois comptables voyagent en train. À la gare, les trois comptables achètent chacun un billet alors que les ingénieurs n'achètent qu'un seul billet pour les trois. Les comptables demandent donc:

— Comment trois personnes peuvent-elles voyager avec un seul billet?

— Regardez et vous verrez!

Ils entrent tous dans le train. Les comptables prennent leur siège respectif tandis que les trois ingénieurs entrent dans un compartiment et ferment la porte derrière eux. Un préposé passe, cogne à la porte et dit:

— Billets, s.v.p.!

La porte s'ouvre juste un peu, et un bras montre le billet. Le préposé le prend et continue sa tournée. Les comptables voient le tout et admettent que c'est un bon truc. Pour le voyage du retour, ils décident de tenter le truc des ingénieurs en n'achetant qu'un seul billet pour les trois. Les ingénieurs, de leur côté, n'achètent aucun billet.

— Bon, comment allez-vous faire maintenant pour voyager sans aucun billet?

— Regardez et vous verrez!

À l'embarquement, les trois comptables entrent dans un compartiment et ferment la porte derrière eux. Les ingénieurs prennent le compartiment à côté. Après quelques minutes, un ingénieur sort de son compartiment et marche jusqu'au compartiment où sont cachés les trois comptables. Il cogne à la porte et dit:

— Billets, s.v.p.!

Technologie

Trois jeunes cadres dînent ensemble dans un grand restaurant. Soudain, une sonnerie de téléphone retentit; l'un d'eux porte sa main à l'oreille et se met à parler. Alors que la conversation se termine, les autres lui demandent:

— Mais tu as parlé au téléphone?

— Oui, je me suis fait greffer un micro dans le petit doigt et un écouteur dans le pouce. Comme ça, je téléphone quand je veux.

Une nouvelle sonnerie retentit et le deuxième homme se met à parler tout seul, puis s'arrête. Inquiets, les deux autres lui demandent ce qui lui arrive.

— Eh bien! répond-il, on m'a greffé un micro près des cordes vocales et un écouteur dans l'oreille. Comme ça, je peux téléphoner n'importe où et quand je veux.

Après quelques minutes de calme, le troisième lâche un gros pet bien bruyant. Les deux autres, très gênés, le regardent en se demandant ce qui se passe. Il leur répond:

— C'est rien, je viens d'envoyer un fax.

Quiproquo

— Je ne me laisserai plus jamais prendre à ce que racontent les hommes, confie une adolescente à une camarade de classe. J'ai rencontré un garçon qui m'avait éblouie en me disant: «J'ai vendu plus de 200 000 disques.» J'ai couché avec lui en croyant que c'était Patrick Bruel ou un chanteur connu…

— Et c'était qui, en réalité?

— Un misérable petit vendeur de chez Virgin.

Chacun son métier

Un gars revient à la maison après son travail. À peine arrivé, sa femme lui demande s'il peut réparer la lampe dans le salon.

— Eh! dit le mari, tu vois «électricien» écrit sur mon front?

La femme ne réplique pas. Quelques jours plus tard, le gars revient du travail et sa femme lui demande s'il pourrait réparer le robinet dans la cuisine qui coule.

— Eh! dit le mari, tu vois «plombier» écrit sur mon front?

Ça reste là. Quelques jours plus tard, le gars revient, et le robinet et la lampe sont réparés. Il se demande bien comment ça se fait. Sa femme lui dit:

— C'est le voisin qui est venu les réparer.

— L'as-tu payé?

— Il m'a dit qu'il voulait pas d'argent mais pour le payer, je pouvais soit lui faire la cuisine, soit lui faire l'amour.

— Pis? Qu'est-ce que tu as fait?

— Eh! Tu vois «Betty Crocker» écrit sur mon front?

Expérience

Un gars va passer une entrevue pour le gouvernement.

— Qu'est-ce que vous savez faire? demande le patron.

— Rien.

— C'est parfait, on n'aura pas besoin de vous entraîner.

Congédiement

Le contremaître de chantier est en haut d'un édifice. Il aperçoit Roger tout en bas et lui crie:

— ROGER, TU ES CONGÉDIÉ!

— QUOI? crie Roger.

— TU ES CONGÉDIÉ! hurle le contremaître.

— QUOI?

— JE TE METS DEHORS!

— QUOI?

— Laisse faire, je vais congédier Robert!

Heure de pointe

Six heures du soir dans le métro. Dans un wagon plein à craquer, une femme debout crie à l'homme derrière elle:

— C'est bientôt fini, espèce de dégoûtant! Vous n'avez pas honte!

— Calmez-vous, ma petite dame, répond l'homme qui est collé sur elle, y a erreur. Je suis ouvrier et je viens de toucher ma paie. Les billets sont dans mon portefeuille et le reste,

60

c'est en rouleaux de vingt-cinq sous que j'ai dans ma poche. Faudrait pas confondre.

La jeune femme se tait. Mais cinq minutes plus tard, elle dit au type:

— Écoutez, vous n'allez tout de même pas me dire que vous avez été augmenté entre deux stations?

Taxi rapide

Un homme entre dans un taxi et demande au chauffeur:

— Conduisez-moi à l'hôtel de ville.

Aussitôt le taxi se met en route mais une fois arrivé à un feu rouge, il accélère et passe en trombe devant les autres voitures.

— Vous êtes fou, dit le client, où avez-vous appris à conduire comme ça?

— Dans ma famille, répond le chauffeur, on conduit tous comme ça.

Le taxi arrive à un autre feu rouge. Encore une fois, le chauffeur accélère et passe devant les autres voitures, produisant ainsi des accidents monstres derrière lui.

— Vous allez nous tuer!

À cet instant le taxi arrive à un feu vert et le chauffeur freine brutalement.

— Vous êtes complètement dingue, dit l'homme. Vous passez lorsque le feu est rouge, mais s'il est vert vous stoppez!

— Bien sûr, dit le chauffeur, je ne veux pas prendre de risque. Mon père pourrait passer.

Oiseau de cirque

Un gars veut être engagé dans un cirque. Le patron lui demande:

— Qu'est-ce que tu sais faire?

— Moi, j'imite un oiseau.

— Un oiseau? Mais y a rien là, moi aussi je sais imiter un oiseau.

Et le patron siffle. Le gars, déçu, dit:

— O.K., d'abord.

Et le gars s'envole par la fenêtre en sifflant.

Au feu!

Alors que l'incendie fait rage dans un immeuble de plusieurs étages, le chef des pompiers compte ses hommes avant de s'éloigner car l'immeuble menace de s'écrouler; il s'aperçoit qu'il en manque deux. Alors, courageusement, il décide d'aller les chercher en affrontant l'incendie. Au bout d'une minute, il les voit enfin dans une des pièces encore un peu protégées de la fumée et du feu, et ils sont en pleins ébats amoureux.

Le chef des pompiers leur crie:

— Qu'est-ce que vous faites, bon Dieu? L'immeuble va bientôt s'écrouler. Il faut partir!

Le gars derrière l'autre se retourne vers son chef et lui dit:

— Il fallait que je fasse quelque chose, il s'était évanoui à cause de la fumée!

— T'es con ou quoi? lui dit le chef, c'est du bouche-à-bouche qu'il faut faire!

— C'est ce que j'ai fait. Comment croyez-vous que tout a commencé?

Bonne raison

Un patron dit à son employé:

— Alors, comme ça, vous demandez de nouveau une journée de congé? J'aimerais bien savoir ce que vous allez me sortir comme excuse, cette fois. Vous avez déjà pris à quatre reprises une journée de congé pour l'enterrement de votre grand-père. Qu'est-ce que ce sera, aujourd'hui?

Et l'employé répond:

— Samedi prochain, ma grand-mère se remarie.

Tête dure

Lors d'auditions dans un cirque, un candidat se présente, grimpe tout en haut du chapiteau, s'avance sur la dernière plate-forme, se lance dans le vide en faisant un magnifique saut de l'ange, effectue 30 m de chute libre et tombe au sol tête première. Après quoi il se relève et salue.

— Formidable! Extraordinaire! s'écrie le directeur, bouche bée. Où est le truc?

— Il n'y en a pas.

— Mais vous avez du matériel?

— Non, aucun, lui répond le gars.

— Et ces deux grosses malles, qu'est-ce qu'il y a dedans?

— Six mille tubes d'aspirine.

En ligne

Un gars attend en ligne au cinéma depuis un bon moment. Tout à coup, le gars derrière lui se met à lui masser les épaules. Il se retourne et lui dit:

— Veux-tu ben me dire qu'est-ce que tu fais là?

Le gars derrière, un peu embarrassé, lui dit:

— Je suis désolé, mais je suis chiropraticien et je fais ça pour me pratiquer.

— Eh! Conte-moi pas des salades! Je suis avocat, pis j'essaie pas de baiser le gars en avant de moi!

Cordonnier

Fin août 1939, un Français apporte ses chaussures chez le cordonnier. Trois jours plus tard, la guerre est déclarée. Mobilisé, il part au front et il est fait prisonnier. Libéré par les Russes en 1945, il se bat avec un officier, ce qui lui vaut 10 ans de prison. Échangé ensuite aux Américains, il se retrouve aux États-Unis et s'y installe.

Et voilà que 40 ans plus tard, il revient en France en touriste. Bien entendu, cet homme va revoir sa rue. Elle a beaucoup changé, sauf la cordonnerie qui est toujours là. Alors, par curiosité, il entre et demande au vieil homme derrière sa machine:

— Il y a longtemps que vous êtes installé ici?
— Oh! mon pauvre monsieur, depuis l'avant-guerre!
— Alors c'est à vous que j'avais confié mes chaussures à réparer! C'était fin août 1939. Trois jours plus tard, j'étais mobilisé...

Il lui raconte toute son histoire. Puis il ajoute:

— Au fait, vous les avez peut-être encore, mes chaussures?

— Attendez, je vais voir, lui dit le vieux cordonnier.

Il soulève sa trappe et descend au sous-sol. D'en bas, il crie:

— Elles sont comment, vos chaussures?

— Jaunes!

— Avec des bouts carrés et des lacets marron?

— Oui!

— Elles seront prêtes jeudi.

Perroquets

Un gars veut acheter un perroquet. Il se rend chez le marchand de perroquets et demande au vendeur:

— Bonjour, je voudrais un perroquet.

— Nous en avons trois. Un à 1000 $, un à 2000 $ et un autre à 10 000 $. Celui à 1000 $ parle le français, l'anglais et l'espagnol.

— Et celui à 2000 $?

— Oh! Celui-là, il parle le français, l'anglais, l'espagnol, le russe, le japonais, l'italien et l'allemand.

— Et celui à 10 000 $? Il parle le latin et le grec ancien en plus?

— Non. En fait, il ne parle pas du tout.

— Ah bon! Mais pourquoi il coûte 10 000 $?

— Parce que les deux autres perroquets l'appellent «patron».

Quelle famille!

Une dame va faire remplir un formulaire exigé par le gouvernement. Le préposé lui demande:

— Combien d'enfants?

— Douze.

— Wow! Leurs noms?

— Georges, répond la dame.

— Douze enfants qui ont le même nom! Comment les reconnaissez-vous?

— Par leur nom de famille!

Emprunt

Un gars demande à un ami:

— Peux-tu me passer 10 $ jusqu'au jour de paye?

— C'est quand le jour de paye?

— Je le sais pas, moi! C'est toi qui travailles!

Réparateur

Un réparateur de télévision se pointe chez une dame en début d'après-midi pour une réparation. Mais les choses étant ce qu'elles sont, ils font l'amour. Après l'acte, la dame demande au réparateur de télévision:

— C'était merveilleux! Écoute, mon mari a un meeting ce soir à 8 h, tu pourrais revenir?

— Quoi? Tu veux que je fasse du temps supplémentaire?

Bonnes conditions

Un homme raconte à un ami:

— J'ai trouvé un emploi dans un cirque. Je serai l'homme canon. J'ai un bon salaire, plus un dollar le kilomètre et toutes mes dépenses de voyage sont payées.

Vulgaire perroquet

Un gars qui a son propre bureau à la maison s'achète un perroquet pour divertir les clients qu'il reçoit. Il a de la chance: son perroquet n'arrête pas de parler, mais il ne dit que des jurons et des vulgarités. Un jour, le gars en a plus qu'assez. Il envoie une claque au perroquet, qui tombe en bas de son perchoir. L'oiseau, un peu déplumé, remonte sur le perchoir et se remet à sortir des insanités. Le gars prend alors l'oiseau et l'enferme dans un placard. Mais le perroquet continue de plus belle ses vulgarités. À un certain moment, le gars est tellement hors de lui qu'il prend le perroquet et l'enferme dans le réfrigérateur. Il le laisse là quelques minutes, écoute attentivement mais n'entend plus rien. Inquiet, il ouvre la porte du réfrigérateur et prend l'oiseau qui lui dit:

— Je suis terriblement désolé pour tous les désagréments que je vous ai causés.

Le gars n'en revient pas. Son perroquet est totalement transformé. C'est alors que le perroquet ajoute:

— Juste pour savoir, qu'est-ce que le poulet avait fait?

Collision

Le mécanicien dit à son client:

— Comment avez-vous fait pour endommager votre voiture comme ça?

— J'ai frappé un piéton.

— Comment un piéton a-t-il pu faire tant de dommages?

— Ben, il était dans l'autobus au moment de la collision.

Camp de naturistes

À quoi reconnaît-on un fonctionnaire dans un camp de naturistes?

C'est celui qui a de la corne aux fesses.

Grosse clientèle

Gaspar possède un salon de coiffure pour hommes où il y a toujours beaucoup de clients. Un matin, un client qui n'avait pas de rendez-vous entre au salon et demande à Gaspar:

— Combien de clients avant moi?

— Dix-neuf clients, monsieur, répond Gaspar.

Le client ne dit rien et s'en va. Mais il recommence ce petit jeu tous les jours. Gaspar demande à son aide-coiffeur de bien vouloir suivre le client quand il sort de son salon, car il trouve ce petit jeu très amusant et se pose des questions.

L'assistant sort pour suivre le client, revient quelques minutes plus tard et dit à Gaspar:

— Quand le client sort d'ici, il s'en va directement chez vous!

Essayage

Une dame entre dans une boutique et dit à la vendeuse:

— J'aimerais essayer cette robe dans la vitrine.
— Désolée, madame, mais vous devrez utiliser les cabines d'essayage comme tout le monde.

Balle en bois

Un homme entre chez le barbier pour un rasage. Pendant que le coiffeur lui met de la crème à raser, il mentionne le problème qu'il a à obtenir un rasage impeccable autour des joues.

— J'ai juste ce qu'il vous faut! dit le barbier qui prend une petite balle en bois d'un tiroir proche, vous avez juste à placer ceci entre votre joue et votre gencive.

Le client place la balle dans sa bouche et le barbier continue avec le rasage le plus impeccable que l'homme n'a jamais eu. Après quelques coups de rasoir, le client demande au barbier:

— Et qu'est-ce qui arrive si je l'avale?
— Aucun problème, dit le barbier, rapportez-la demain. C'est ce que tout le monde fait.

Réussite

Un journaliste interroge un milliardaire:

— Quel est le secret de votre réussite?

— C'est simple, j'ai la conviction que l'argent n'a pas d'importance et que seul le travail compte.

— C'est en ayant cette conviction que vous êtes devenu si riche?

— Non, c'est à partir du moment où je l'ai fait partager à tout mon personnel.

Funérailles

Une femme est au salon funéraire avec le croque-mort et observe son mari dans sa tombe. La femme dit au croque-mort:

— Je trouve que l'habit bleu ne lui va pas du tout; il me semble qu'il aurait l'air mieux dans un habit gris, un habit comme celui de l'homme dans la tombe là-bas.

— Je peux vous arranger ça, dit le croque-mort. Allez m'attendre de l'autre côté, je vous appellerai quand ce sera fait.

La veuve sort et à peine quelques minutes plus tard, le croque-mort lui demande de revenir. Elle entre et voit son mari avec l'habit gris, et l'autre homme avec le bleu.

— Vous êtes merveilleux! Mais comment avez-vous pu faire ça aussi vite?

— J'ai juste changé les têtes.

Accident

Dans un brouillard à couper au couteau, avec une visibilité nulle, un automobiliste heurte un autre véhicule. Il descend et dit à l'autre conducteur:

— Je suis désolé, mais vous êtes dans le tort. Je venais de droite!

— Ça m'étonnerait que ça joue auprès des assurances, dit l'autre conducteur, vous êtes dans mon garage.

Petit plaisir

C'est le parrain de la mafia qui dit à Gino, son bras droit:

— Gino, viens ici! Tu vas aller dans les toilettes et tu vas aller te passer un petit plaisir.

Gino va aux toilettes et s'exécute, car les ordres sont les ordres. Quinze minutes passent, le parrain rappelle Gino.

— Eh! Gino, tu vas aller dans les toilettes et tu vas aller te passer un petit plaisir.

— Mais...

— Ne discute pas, c'est un ordre.

Gino va aux toilettes et s'exécute, car les ordres sont les ordres. Quinze minutes passent, le parrain rappelle Gino.

— Eh! Gino, tu vas aller dans les toilettes encore et tu vas aller te passer un petit plaisir.

— Oh non! parrain! Pitié! J'suis plus capable! J'suis vidé!

— Très bien, mon Gino.

Le parrain lui tend les clés de son auto et lui dit:

— Maintenant, tu peux aller chercher ma femme.

Accordéon

Une dame se présente dans une station-service avec sa voiture en accordéon.

— Est-ce que vous pouvez faire quelque chose? demande-t-elle.

Le garagiste observe la bagnole et dit à la dame:

— Désolé, ici on lave, on repasse pas.

Fonction publique

C'est un chef de service de la fonction publique qui convoque trois employés dans son bureau.

— Si je vous ai réunis aujourd'hui, c'est que j'ai l'intention de prendre l'un de vous comme chef de service adjoint. Il me faut un homme qui ait de l'étoffe pour me seconder! Voyons voir. Vous, Gérard, ça n'est pas possible! Vous m'êtes trop utile à votre poste actuel. Si vous l'abandonniez, on serait démunis. C'est pareil avec vous, Michel. Si je vous retire de votre poste actuel, plus rien ne fonctionnera. Ah! Mais vous, Marcel, par contre, je peux vous prendre avec moi.

— Quoi! s'écrient les deux autres. Pas Marcel! Il est si bête qu'il ne sait même pas quel jour on est!

— Mais si, il sait. Hein, mon petit Marcel, vous savez qu'on est jeudi?

— Mais chef! disent les deux autres en chœur, on est mardi aujourd'hui.

Petit tour de taxi

Un gars embarque dans un taxi et dit au chauffeur:

— Faites-moi faire le tour du quartier. Je ne sais plus où j'ai garé ma voiture.

Micro-ondes

C'est un gars qui va s'acheter un four à micro-ondes au magasin. Quand vient le temps de payer, il sort sa carte d'assurance-maladie. Le vendeur lui dit:

— Pourquoi vous me donnez ça?
— Parce que ça fait des années que je suis malade d'en avoir un.

Pompier?

Dans une petite ville de province, deux amis sont attablés à la terrasse d'un café. Soudain, la sirène d'incendie qui appelle les pompiers bénévoles retentit. Aussitôt, un des types se lève.

— Excuse-moi, il faut que j'y aille...
— Tu es pompier? fait son copain, étonné.
— Moi non, mais le mari de ma maîtresse, oui!

Au feu! Au feu!

Grimpé sur une échelle, un ouvrier répare la gouttière d'une ferme. Soudain, il perd l'équilibre et tombe dans la fosse septique. Et il se met à hurler:

— Au feu! Au feu!

Le fermier et son fils accourent et le sortent de là. Après quoi le fermier lui demande:

— Mais pourquoi vous avez crié «Au feu»?
— Si j'avais crié «Merde! Merde!», vous seriez venus?

Caviar et champagne

Une secrétaire est invitée à souper chez son riche et cultivé patron qui la reçoit dans son immense demeure. Il lui sert, pour commencer, du caviar avec du champagne. La secrétaire goûte au champagne, puis au caviar, et dit:

— C'est très bien, le champagne, mais la confiture de mûres sent le poisson.

Chauffeur de taxi

Un homme et son fils prennent un taxi. Sur le parcours, le taxi emprunte une rue mal famée tout au long de laquelle des prostituées arpentent le trottoir.

— C'est qui, les madames? demande le fils à son père.
— Je ne sais pas, répond le père, gêné, je ne les connais pas.
— Ce sont des putains, dit le chauffeur.
— Qu'est-ce qu'elles font là, les putains?

— Elles attendent des clients pour..., dit le chauffeur.

— Elles attendent leur mari, dit le père.

— Ah! Elles ont un mari?

— Elles en ont même plusieurs par jour, ricane le chauffeur.

— Alors, si elles ont beaucoup de maris, elles ont beaucoup d'enfants. Dis, papa, qu'est-ce qu'ils font quand ils sont grands, les enfants de putains?

Le père lui répond:

— Ils deviennent chauffeur de taxi, mon chéri.

Le travail versus la prison

En regardant son travail, on peut se dire que la prison, c'est pas si mal... Parce qu'en prison, tu passes la majorité de ton temps dans une petite cellule tandis qu'au travail, tu passes la majorité de ton temps dans un petit bureau.

Parce qu'en prison, tu as trois repas gratuits par jour, tandis qu'au travail, tu as une pause et un repas qu'il faut payer.

Parce qu'en prison, on te coupe ton temps pour bonne conduite tandis qu'au travail, on récompense ta bonne conduite en te donnant plus de travail

Parce qu'en prison, tu peux regarder la télévision et jouer à des jeux tandis qu'au travail, tu te fais mettre dehors parce que tu as regardé la télévision et joué à des jeux.

Parce qu'en prison, tu as ta toilette privée tandis qu'au travail, tu dois la partager.

Parce qu'en prison, ta famille et tes amis te visitent tandis qu'au travail, tu ne peux pas jaser avec ta famille ni avec tes amis.

Parce qu'en prison, toutes tes dépenses sont payées par les contribuables sans que tu travailles tandis qu'au travail, tu payes tes dépenses pour aller travailler et on prélève des taxes sur ton salaire pour payer pour les prisonniers.

Parce qu'en prison, il y a des gardiens parfois sadiques tandis qu'au travail, on a les patrons.

Débutant

Un type va chez le coiffeur pour se faire raser la barbe. Le coiffeur lui dit:

— Pas de problème, asseyez-vous là, mon fils va s'occuper de vous.

Le fils commence à raser son client, mais il tremble un peu et le rasoir glisse et entaille la joue du client. Son père le voit et il est furieux:

— Sale gamin, tu vas avoir ta correction!

Il veut lui donner une gifle, mais il le manque et c'est le client qui reçoit la claque.

— Oh! je suis désolé, dit le coiffeur, j'espère que mon fils ne va pas recommencer, il n'a pas intérêt.

Le fils reprend son travail; naturellement, il est un peu plus nerveux, le rasoir glisse à nouveau et entaille une fois de plus la joue du client. Le père rapplique aussitôt:

— Sale gosse, tu vas voir!

Cette fois-ci, il veut lui coller son poing sur la figure mais le manque et écrase le nez du client.

— Oh! je suis désolé, monsieur, ça n'arrivera plus. Ça n'arrivera plus car vous voyez le bâton de base-ball accroché au mur? Si mon fils vous entaille encore, c'est avec ça que je le corrige!

Alors, naturellement, le fils est de plus en plus effrayé, et pendant que son père est dans l'arrière-boutique, il tranche carrément l'oreille gauche du client. Le fils s'apprête à hurler lorsque le client pose son pied sur l'oreille tombée par terre et dit:

— Tais-toi, imbécile! Ton père n'a rien vu!

Négociations

Un jeune cadre se présente pour un poste dans une grande compagnie. À l'issue de l'entretien, le directeur général lui annonce qu'il est prêt à l'engager et lui indique son salaire.

— Il y a un petit problème, dit le jeune cadre. Dans la société où j'étais, j'avais un salaire nettement plus élevé.
— Oui, mais chez nous vous aurez un treizième mois...
— Dans la société où j'étais, on en avait quinze.
— On vous offre en plus une prime de fin d'année.
— Dans la société où j'étais, nous en touchions une grosse, plus une prime d'été.
— Une voiture de fonction, une BMW.
— Dans la société où j'étais, j'avais une Jaguar.
— Et six semaines de vacances, lui dit le patron.

— Dans la société où j'étais, j'en avais huit, réplique le jeune cadre.

À bout d'arguments, le directeur lui dit:

— Mais pourquoi avez-vous quitté cette société?

78 — Parce qu'elle a fait faillite!

Travail

Dans une boutique informatique, un homme veut un ordinateur.

— Ce petit ordinateur, dit le vendeur, fera la moitié de votre travail.

Étudiant la machine sous toutes ses coutures, le vice-président lui dit:

— Parfait, j'en prends deux.

Amour

Un important industriel vit avec une ravissante jeune femme qu'il couvre de cadeaux et de bijoux. Un soir, il lui dit:

— Mon amour, si un jour je fais faillite, si je n'ai plus un sou, est-ce que tu m'aimeras toujours?

— Quelle question! Bien sûr, mon chéri, je t'aimerai toujours. Mais tu me manqueras beaucoup...

Magasinage

Dans un magasin de prêt-à-porter pour enfants, un petit garçon essaie un costume.

— Le tissu est de bonne qualité? demande la mère.
— La meilleure, madame! fait le vendeur. Ça ne bouge pas!

Le garçon, tout fier, demande à le garder sur lui; la dame paye et ils s'en vont. Trois minutes plus tard, alors qu'ils marchent dans la rue, un violent orage éclate. Les voilà trempés, et le costume se met à rétrécir à vue d'œil. Bientôt, le pan de la veste arrive à la taille du petit garçon, les manches pratiquement aux coudes et les bas du pantalon aux mollets. Le mère, folle furieuse, retourne à la boutique en tenant son fils par la main. Quand ils entrent, le vendeur s'écrie, d'un ton extasié:

— Mon Dieu! Comme il a grandi!

Monsieur est mort

Dans une maison bourgeoise, le maître des lieux vient de mourir et l'on prépare les obsèques. La bonne entre dans la chambre de la veuve éplorée et demande:

— Madame, je peux faire la toilette du mort?
— Je vous en prie, Maria, un peu de tenue! Vous pourriez dire «monsieur» et non pas «le mort».
— Bien, madame.

Une demi-heure plus tard, on sonne. La bonne va ouvrir et vient annoncer à sa maîtresse:

— Madame, à la porte, c'est le croque-monsieur.

Coupure

Un manchot entre chez le barbier pour se faire raser la barbe. Il s'assied et le barbier commence à le raser. L'ennui, c'est que le coiffeur est bourré de tics.

Et il fait une petite coupure à l'oreille du client, puis une entaille sur sa joue et sur son menton. Quand le rasage est terminé, le manchot est couvert de coupures et il se rend à la caisse pour payer.

La caissière lui dit:

— Mais je vous connais! Vous êtes un ancien client, non?

— Non, dit le manchot, mon bras, je l'ai perdu en Indochine!

Placement

Un cosmonaute russe va passer un an à bord de la station Mir. Avant son départ, il confie toutes ses économies, 100 000 roubles, à son banquier moscovite pour qu'il les lui place. Un an plus tard, à son retour sur terre, il se précipite dans une cabine téléphonique et appelle la banque.

— Où en sont mes 100 000 roubles?

— Eh bien! mon cher Popov, vous avez aujourd'hui deux millions de roubles.

— Deux millions de roubles? C'est magnifique!

À ce moment-là, dans le combiné, une voix enregistrée annonce: «Vos trois minutes sont écoulées, veuillez remettre deux millions de roubles dans l'appareil.»

Choix difficile

Une cliente entre dans une boucherie et demande un poulet. Le boucher va dans l'arrière-boutique et ramène le seul poulet qui lui reste.

— Voilà, chère madame.
— Vous n'en auriez pas un plus gros?
— Je vais voir.

Il repart de l'autre côté, prend une pompe à bicyclette, la met dans le poulet et donne trois ou quatre coups de pompe pour le gonfler. Puis il le rapporte.

— Celui-là vous convient?
— Parfait. Je vais prendre les deux.

Cornichons

Un jour, en revenant du travail, Roger dit à sa femme:

— Chérie, ça fait déjà 25 ans que je travaille à l'usine de cornichons, et je dois t'avouer quelque chose. Depuis que j'y travaille, j'ai une irrésistible envie de mettre mon pénis dans la coupeuse à cornichons.

— Mon Dieu, Roger! lui répond sa femme, paniquée, mais va consulter, fais-toi aider!

— Non, non, lui dit Roger, j'ai su me contenir pendant 25 ans, je peux continuer. Je voulais juste que tu sois au courant.

Une semaine plus tard, Roger, revenant de travailler, semble pâle et mal en point. Sa femme s'écrie:

— Ah non! Ne me dis pas que tu n'as pas pu y résister? As-tu mis ton pénis dans la coupeuse à cornichons?

— Oui.

— Et puis? Es-tu allé à l'hôpital? Est-ce que ça va?

— Oui, mais j'ai perdu mon emploi, et la coupeuse de cornichons aussi!

Confessions

Un homme alité et au seuil de la mort se confesse à son meilleur ami.

— Jeremy, je dois t'avouer quel traître j'ai été envers toi. J'ai détourné un million de dollars de notre compagnie, j'en ai fait deux millions de plus en vendant nos secrets à la concurrence et, par simple méchanceté, j'ai renvoyé la réceptionniste parce qu'elle était amoureuse de toi.

Jeremy lui répond doucement:

— Je sais, c'est correct, c'est moi qui t'ai empoisonné.

Emploi sur mesure

Un homme rencontre un copain bègue qu'il n'a pas vu depuis plusieurs mois.

— Alors, mon pauvre, toujours au chômage?
— Non, j'ai troutroutrouvé du boubouboulot.
— Je suis content pour toi. Où ça?
— À lllla cccompagnie ddddde ttttéléphone.
— Et c'est quoi, ton travail?
— Je suis aux renrenrenseignements téléphopho... téléphoniques!

— Excuse-moi, mais ton petit handicap te cause pas des problèmes?

— Nnnnnnon. Ququand tttous lles autres ssont occccupés, c'est moi ququi fffais «bip... bip... bip... bip...».

Tapisserie

Un locataire veut poser du papier peint dans son appartement, mais n'a aucune idée de la quantité à acheter. Il se souvient que son voisin, qui a exactement le même appartement, a tapissé le sien. Il lui demande donc:

— Combien de rouleaux de 10 m avez-vous pris?

— Vingt-huit.

Alors il achète 28 rouleaux, et il colle son papier. Mais quand l'appartement est terminé, il lui reste six rouleaux. Il remonte chez son voisin et lui dit:

— Je ne comprends pas. J'ai tapissé tout l'appartement, et il me reste six rouleaux.

— Eh bien! c'est pareil pour moi!

Vente

Le propriétaire d'un magasin de vêtements pour hommes prend un vendeur à l'essai et lui dit:

— Demain, je dois m'absenter pour la journée. Je vous propose un test. J'ai ici deux articles que je n'arrive pas à vendre, même en solde. C'est ce costume à carreaux rouges et jaunes et ce manteau vert épinard avec des rayures violettes. Si vous arrivez à vendre un seul des deux, je vous engage définitivement!

Le surlendemain, il arrive au magasin.

— Alors, avez-vous réussi à en vendre un?

— J'ai vendu les deux, monsieur. Au même client.

— Sans blague? J'imagine que vous avez dû lui faire un gros rabais.

— Non, monsieur, je les lui ai vendus au prix marqué.

— Ça a été difficile de convaincre le client?

— Pas du tout, monsieur, mais le chien qui le guidait, j'ai cru qu'il allait me mordre.

Animalerie

Un client dans un magasin d'animaux:

— Je voudrais 11 rats, 3 couleuvres et 32 araignées.

— Vous ouvrez un magasin ou quoi?

— Non, je déménage et le propriétaire m'a demandé de laisser mon logement dans le même état qu'il était lors de mon arrivée.

Traduction

Le parrain d'une famille importante de la mafia, accompagné par son avocat, rencontre son comptable qu'il vient de mettre à la porte. Le parrain demande au comptable:

— Où as-tu caché les trois millions de dollars que tu as blanchis?

Le comptable ne répond pas. Le parrain s'impatiente.

— Où as-tu caché les trois millions de dollars?

Le comptable ne répond pas. L'avocat dit alors au parrain:

— Ne vous fâchez pas. Ce comptable est sourd-muet. Je vais traduire pour vous en langage des signes.

L'avocat traduit donc la demande du parrain. Le comptable répond par une série de signes.

— Je ne sais pas de quoi tu parles, signe le comptable.

— Qu'est-ce qu'il a dit? demande le parrain.

— Il dit qu'il ne sait pas de quoi vous parlez, répond l'avocat.

Le parrain sort son neuf millimètres, le place sur la tempe du comptable et dit à l'avocat:

— Demande-lui encore où est l'argent.

L'avocat traduit la demande du parrain à nouveau. Le comptable, nerveux, lui répond en langage de signes.

— O.K., O.K. Je l'ai caché dans une valise que j'ai enterrée derrière ma remise.

— Qu'est-ce qu'il a dit? demande le parrain.

L'avocat répond:

— Il dit d'aller vous faire voir, que vous n'avez pas les couilles d'appuyer sur la gâchette.

Chat

Un grand antiquaire parcourt la campagne pour dénicher au meilleur prix des meubles ou des objets anciens. Il arrive dans une ferme et voit un petit chat qui boit son lait dans une écuelle qu'il identifie immédiatement comme datant de l'époque romaine. Une pure merveille! Cachant du mieux possible son enthousiasme, il dit au paysan:

— Ma femme a toujours eu envie d'avoir un chat. Si vous voulez vous débarrasser de celui-là, je vous l'achète...

— Pourquoi pas? répond le fermier. Si vous me donnez 200 $, il est à vous.

— Marché conclu! dit l'antiquaire.

Il sort deux billets de 100 $, les donne et ajoute nonchalamment:

— Pour qu'il ne soit pas trop dépaysé, je vais apporter son bol.

— Ah non! fait le fermier, le bol vous le laissez ici! Depuis le début de l'année, il m'a déjà fait vendre 15 chats...

Avarice

«Mon patron est tellement avare qu'il parle du nez pour pas user son dentier.»

Avez-vous l'heure?

Un homme d'affaires roule en voiture depuis un bon moment et décide d'arrêter sur le bord du chemin pour se reposer un peu. Quelques minutes après qu'il a arrêté, un passant cogne à sa fenêtre.

— Quoi? demande l'homme d'affaires.
— Pardonnez-moi de vous déranger, avez-vous l'heure?
— 8 h 15.
— Merci!

Et le passant s'en va. Il tente de se rendormir, quand un autre passant cogne à sa fenêtre.

— Quoi?
— Pardon, monsieur, avez-vous l'heure, je vous prie?
— 8 h 30.
— Merci!

Et le passant s'en va. Sachant qu'il risque de se faire déranger à nouveau, il écrit sur un papier: «JE NE SAIS PAS L'HEURE QU'IL EST!»

Il le colle dans sa fenêtre. Quelques minutes plus tard, un passant cogne à nouveau.

— QUOI ENCORE?
— Je voulais juste vous dire qu'il est 8 h 35, monsieur!

Discours

Écoutant le discours du nouveau doyen de l'université, un homme se tourne vers la femme assise près de lui et dit:

— Pouvez-vous croire que les administrateurs aient nommé quelqu'un d'aussi monstrueux pour être notre doyen?

— Savez-vous qui je suis? lui répond la femme, insultée.

— Non.

— Je suis la femme du monstrueux.

Essayant de garder sa contenance, le professeur lui dit:

— Et vous, savez-vous qui je suis?

— Je n'ai pas ce plaisir, dit-elle.

— Parfait, mon poste est sauf!

Voiture d'occasion

Deux jeunes religieuses vont chez un marchand de voitures d'occasion acheter une fourgonnette pour la congrégation. Le marchand réussit à leur en vendre une, il leur montre rapidement le fonctionnement des vitesses et du tableau de bord, elles font le chèque, et il leur remet les papiers. Cinq minutes plus tard, quand le vendeur ressort de son bureau, les religieuses sont toujours là.

— Il y a un problème, mes sœurs? demande-t-il.

— Non, non, pas vraiment, dit une religieuse, mais on nous a dit qu'en nous adressant à un marchand de voitures d'occasion, on allait se faire baiser. Alors on attend.

Scie à chaîne

Un gars va au magasin pour s'acheter une scie à chaîne. Le vendeur lui propose un modèle en lui disant:

— Ça, c'est ce qui se fait de mieux. Avec ça, tu peux couper six gros arbres dans ta journée.

Le gars achète donc la scie à chaîne et part. Mais voilà qu'il revient au magasin tard le soir. Il est en sueur, complètement exténué. Il dit:

— Elle n'est même pas bonne, ta maudite scie à chaîne. Tu m'avais dit que je pourrais couper six gros arbres avec ça dans la même journée et j'ai réussi à en couper rien qu'un petit et ça m'a tout pris.

— Attendez un peu, monsieur, on va regarder ça.

Le vendeur prend la scie à chaîne et tire sur la corde. La scie démarre, impeccable. Le gars dit alors:

— Remontre-moi donc ça, à quoi ça sert cette corde-là…

Gars de la ville

Un homme passe tout près de deux gars de la ville en plein travail: il y en a un qui pellette un gros trou et le deuxième qui le remplit avec de la terre. Alors l'homme leur demande:

— Qu'est-ce que vous faites? On vous paie pour ça?

Un des deux gars répond:

— C'est pas de notre faute, habituellement on est trois pour faire ce travail, mais aujourd'hui il manque celui qui met les arbres.

Concurrence

Le propriétaire d'un gros restaurant avait comme voisin d'en face un salon funéraire. Un jour, voulant faire de l'humour aux frais de son voisin, il installe sur son propre parterre d'entrée un écriteau: «Quoi qu'on dise, quoi qu'on fasse, vaut mieux être ici que d'être en face.»

Son voisin, voyant cela, en fit un lui aussi: «Quoi qu'on dise, quoi qu'on fasse, ceux qui sont ici viennent d'en face.»

Autobus

Une jeune secrétaire attend l'autobus. Elle s'aperçoit soudain qu'elle aura de la difficulté à monter dans l'autobus, puisque sa robe est beaucoup trop serrée. Elle décide de baisser un peu la fermeture éclair de sa robe. Elle étire son bras le plus qu'elle peut et descend la fermeture éclair de moitié; se rendant compte que ça n'aide pas, elle la descend au complet. Lorsque l'autobus arrive, elle est incapable d'y monter, mais l'homme derrière elle la prend par la taille et la transporte jusque dans l'autobus. Offusquée, la secrétaire lui dit:

— De quel droit m'avez-vous touchée?
— Bien, répond l'homme, après que vous avez descendu ma fermeture éclair, j'ai cru que nous étions devenus de bons amis.

Saucisses

Le chien d'un avocat se sauve de chez son maître pour aller voler des saucisses chez le boucher au coin de la rue. Celui-ci, qui a reconnu le chien, s'en va donc voir l'avocat le jour même et lui demande:

— Si un chien s'échappe et vient voler de la viande dans ma boucherie, ai-je le droit de demander le remboursement de la viande volée par le chien au propriétaire de l'animal?
— Oui, tout à fait, répond l'avocat.
— Dans ce cas, vous me devez 15 $, car hier votre chien est venu dans ma boucherie et il est reparti avec des saucisses.

L'avocat ne dit pas un mot, il prend son chéquier et donne au boucher un chèque du montant demandé. La semaine suivante, le boucher reçoit une lettre de l'avocat. À l'intérieur, il y a une facture de 100 $ pour une consultation.

Souper

Pendant un voyage sur une petite compagnie aérienne, une hôtesse demande à un passager:

— Voulez-vous souper?
— Quels sont mes choix? demande le passager.
— Oui ou non.

Grand acteur

Deux acteurs discutent d'un troisième.

— Ce gars-là peut faire déplacer des foules.

— Certain! La dernière fois qu'il a joué, tout le monde s'est levé pour sortir.

Affaires de famille

Un homme d'affaires reçoit pour la première fois son futur gendre et lui dit:

— Comme j'adore ma fille et que je veux que vous vous sentiez le bienvenu dans notre famille, je vous offre 50 % de ma société.

— Super! répond le gendre, et qu'est-ce qu'il faut que je fasse?

— C'est simple, vous passerez tous les jours à l'usine vérifier si tout est en ordre.

Le gendre réfléchit et dit:

— Mais je hais les usines à cause du bruit!

— Dans ce cas, reprend le père, vous travaillerez au bureau quelques heures par jour.

— Mais vous ne croyez quand même pas que je vais rester derrière un bureau!

L'homme d'affaires perd patience:

— Attendez un peu; je viens de vous faire mon associé à 50-50 et vous refusez de travailler à l'usine ou au bureau. Dites-moi un peu ce que je peux faire d'autre?

— C'est simple, reprend le futur gendre, vous n'avez qu'à racheter mes parts.

Conversation téléphonique

Un homme téléphone à son collègue. C'est le jeune fils de trois ans qui répond et qui parle tout bas:

— Allô!

— Bonjour, est-ce que ton papa est là?

— Oui, chuchote l'enfant.

— Puis-je lui parler?

— Non.

— Pourquoi?

— Il est occupé.

— Est-ce que ta mère est là?

— Oui, chuchote l'enfant.

— Puis-je lui parler?

— Non.

— Pourquoi?

— Elle est occupée.

— Mais y a-t-il d'autres personnes dans la maison?

— Oui

— Qui?

— La police.

— Puis-je leur parler? demande l'homme, paniqué.

— Non, chuchote l'enfant.

— Mais pourquoi?

— Ils sont occupés.

— Mais que font-ils à la fin?

— Il me cherchent.

Conditions

Un jeune homme cherche du travail. Il se présente dans une entreprise et on lui dit:

— On vous embauche au salaire minimum au début, mais vous pourrez gagner beaucoup plus, ensuite.

— Dans ce cas, répond le jeune homme, je préfère revenir à ce moment-là.

Jésus

C'est l'histoire d'une religieuse qui, de la fenêtre de son couvent, regarde les travailleurs sur le chantier de construction en face. La sœur est bien découragée d'entendre les ouvriers jurer et blasphémer sans cesse. Un bon jour, elle se décide donc à corriger la situation. Elle prend donc un crucifix, l'emballe dans un sac en papier, traverse la rue et va s'adresser au contremaître.

— Monsieur, dit-elle, est-ce que vous connaissez Jésus?

Le contremaître se retourne alors et crie:

— Eh Roger! Trouve-moi le gars qui s'appelle Jésus, pis dis-lui que sa guidoune est ici avec son lunch!

Un soulier

C'est un vendeur de souliers qui voit arriver un client qui n'a qu'une seule jambe. Le client demande:

— J'aimerais ça acheter juste un soulier.

— Mais voyons, monsieur, répond le vendeur, c'est impossible, vous ne pouvez pas acheter juste un soulier.

Le client se fâche et demande à voir le gérant. Celui-ci se rend à l'arrière du magasin et dit au gérant:

— Imagine donc qu'en avant, il y a un cave qui veut acheter juste un soulier.

Mais, au moment où il finit sa phrase, il se rend compte que le gars l'a suivi jusqu'à l'arrière. Alors, vif d'esprit, le vendeur continue:

— Mais heureusement qu'il y a le gentil monsieur ici qui veut acheter l'autre.

Lunch

Un Italien, un Grec et un Newfie travaillent sur un chantier de construction. À l'heure de dîner, l'Italien ouvre sa boîte à lunch et dit:

— Moi, demain, si c'est encore des spaghettis, je lance ma boîte à lunch au bout de mes bras.

Le Grec ouvre sa boîte à lunch et dit:

— Moi, demain, si c'est encore un souvlaki, je lance ma boîte à lunch au bout de mes bras.

Le Newfie ouvre sa boîte à lunch et dit:

— Moi, demain, si c'est encore un sandwich au beurre d'arachide, je lance ma boîte à lunch au bout de mes bras.

Le lendemain arrive. L'italien ouvre sa boîte à lunch, et c'est des spaghettis. Il la lance au bout de ses bras. Le Grec ouvre sa boîte à lunch, et c'est un souvlaki. Il la lance au bout de ses bras. Le Newfie prend sa boîte à lunch sans même

l'ouvrir et la lance au bout de ses bras. Les deux autres lui disent:

— T'es malade! T'as même pas regardé dans ta boîte à lunch.

— Pas besoin, je le sais ce qu'il y a dedans. C'est moi qui fais mes lunchs.

Balai

Un épicier a engagé comme commis un grand jeune homme à lunettes.

— Bon, lui dit-il, vous allez balayer soigneusement la boutique.

— Mais, proteste le jeune homme, n'oubliez pas que je sors de l'université et que j'ai une maîtrise en philosophie.

— Excusez-moi, fait l'épicier, je n'y pensais plus. Alors, venez ici que je vous montre comment on tient un balai.

Qui?

C'est l'histoire de quatre individus: Chacun, Quelqu'un, Quiconque et Personne.

Un travail important devait être fait, et on avait demandé à Chacun de s'en occuper.

Chacun était assuré que Quelqu'un allait le faire, Quiconque aurait pu s'en occuper, mais Personne ne l'a fait.

Quelqu'un s'est emporté parce qu'il considérait que ce travail était la responsabilité de Chacun.

Chacun croyait que Quiconque pouvait le faire, mais Personne ne s'était rendu compte que Chacun ne le ferait pas.

À la fin, Chacun blâmait Quelqu'un, du fait que Personne n'avait fait ce que Quiconque aurait dû faire.

Invitation?

Le directeur d'un service demande à sa nouvelle secrétaire:

— Mademoiselle, que faites-vous dimanche soir?

— Je ne fais absolument rien, patron, dit-elle, ravie, espérant une invitation.

— Alors, vous n'aurez donc aucune raison d'arriver en retard lundi matin comme les trois dernières semaines.

Une heure

Une secrétaire se rend manger dans un restaurant. Personne ne s'occupe d'elle. Au bout d'une demi-heure, elle se lève et s'adresse au patron:

— C'est scandaleux, je n'ai qu'une heure pour manger le midi.

— Vous avez raison, madame, vous devriez en parler à votre syndicat.

Plombier

Un plombier dit à sa cliente:

— Bon, dit le plombier en enlevant sa salopette, à présent que j'ai réparé votre douche, je vais vérifier moi-même si elle fonctionne bien. Et, madame, ajoute-t-il alors qu'il est nu devant elle, si vous voulez bien me savonner le dos, je ne vous fais pas payer les taxes!

Magicien et perroquet

Un magicien avait été engagé sur un superbe navire pour participer à l'animation de croisières de luxe en Méditerranée. Les participants changeaient chaque semaine et le magicien reprenait donc les mêmes tours de magie de façon hebdomadaire. Seul le perroquet du capitaine, qui avait vu les mêmes numéros plusieurs fois, commençait à montrer des signes de lassitude. Un soir, le volatile se mit en tête de gâcher le numéro et attendit le moment le plus propice. Il vint se poser près de la scène et, au beau milieu d'un tour de magie, cria à l'assistance:

— Regardez, ce n'est pas le même chapeau. Celui dans lequel est enfermé le lapin est sous la table.

Le magicien, énervé, poursuivit tout de même avec son grand tour de cartes.

Le perroquet hurla cette fois:

— Pourquoi n'y a-t-il que des as de pique dans ton jeu?

Et l'oiseau continua de vendre les trucs à chaque numéro. Le public, d'abord amusé par ces révélations, se mit au bout d'un moment à huer le pauvre magicien qui finit par quitter la scène. Celui-ci était furieux mais comme c'était le perroquet du capitaine, il n'y avait pas grand-chose à faire. Le lendemain, après une série d'avaries, le bateau coula. Le magicien put survivre en s'accrochant à quelques planches de bois qui flottaient à la surface de la mer. Le perroquet trouva également refuge sur ce radeau improvisé. Mais comme ils étaient fâchés, ils n'échangèrent pas un mot pendant trois jours. Le matin du quatrième, le perroquet affamé finit par dire:

— O.K., j'abandonne, tu as gagné. Où est passé le bateau?

Règles du patron

Le patron a toujours raison. Même si un subalterne a raison, c'est encore le patron qui a raison.

Le patron ne dort pas, il se repose. Le patron ne mange pas, il se nourrit.

Le patron ne boit pas, il goûte. Le patron n'est jamais en retard, il est retenu.

Le patron ne quitte jamais son service, il est appelé.

Le patron ne lit jamais son journal pendant son service, il se tient informé.

Le patron n'entretient jamais de relations avec son personnel, il l'éduque.

On entre dans le bureau du patron avec des idées personnelles, on en ressort avec les idées du patron. Le patron est obligé de penser pour tout le monde.

Si quelque chose ne vous plaît pas ici, appelez le patron, il arrange tout.

Signé: Le Patron

Dommages

Un agriculteur est dans son champ lorsqu'il voit un accident. Une Ferrari percute un poteau. Aussitôt, l'agriculteur se précipite vers le désastre. Il aide le conducteur à sortir. L'accidenté se lamente :

— Ma Ferrari! Ma Ferrari!

— Mais vous êtes plein de sang! lui dit l'agriculteur.

— Merde, mon beau costume à 5 000 $! C'est pas possible...

— Mais vous avez perdu un bras! crie l'agriculteur.

— C'est pas vrai! Merde! Ma Rolex!

Double vie

Une femme loue une pension pour femmes à double vie. Les pensionnaires ont des vies professionnelles normales pendant la journée, et la nuit elles se prostituent. Femme organisée, la logeuse a installé ses filles par métier et par étage. Au premier, les mannequins; au deuxième, les comptables; et au troisième, les institutrices.

La logeuse s'est aperçue, après quelque temps, que quand les clients reviennent, ce n'est que pour les institutrices. Elle se demande pourquoi vu que les institutrices sont, en général, bien moins attrayantes que les mannequins, par exemple. Elle va donc espionner dans les couloirs et écoute aux portes. Au premier, où il y a les mannequins, elle entend :

— Ne me touche pas là, tu vas détruire ma coiffure.

Au deuxième, où il y a les comptables, elle entend :

100

— Bons comptes, bons amis. D'abord tu payes, après on verra.

Au troisième, elle entend les institutrices qui disent:

— Ça c'est pas trop mal, mais on va recommencer jusqu'à ce que tu le fasses parfaitement.

Électricité

Un électricien dit à son apprenti:

— Jules, prends un de ces deux fils, s'il te plaît!
— Ça y est, j'en ai un! dit l'apprenti.
— Tu ne sens rien? demande l'électricien.
— Non, rien du tout.
— O.K., dit le chef, ça doit être l'autre fil. Surtout n'y touche pas, il y a du 2 000 volts dessus.

Retard

Il est très tôt le matin. Un homme appelle un taxi afin de se rendre à l'aéroport. L'homme patiente environ une demi-heure, puis, comme le taxi n'est toujours pas là, il rappelle la compagnie. Là on lui répond que le taxi est sur la route. Mais 15 minutes plus tard, le taxi n'est toujours pas là. L'homme rappelle pour la troisième fois en gueulant:

— J'ai besoin d'un taxi de toute urgence, je dois prendre le vol 714 de la Sabena pour Sydney, et il décolle dans 30 minutes!

La standardiste lui répond:

— Je suis désolé pour le retard. Votre taxi devrait être là dans quelques secondes, maintenant. Mais ne vous en faites pas, vous ne manquerez pas votre avion parce que ce vol décolle toujours avec du retard!

— Oui, c'est sûr qu'il décollera en retard aujourd'hui parce que c'est moi le pilote!

Bûcheron

Une importante exploitation forestière du Canada passe un jour une petite annonce dans le but de recruter un bûcheron. Quelques jours plus tard, un petit maigre arrive et se présente:

— Je viens pour l'annonce, pour le bûcheron.

— Mais tu n'es pas ce que je recherche. Il me faut un gars taillé dans l'acier, capable de bûcher dix heures par jour sans sourciller!

— Laissez-moi vous montrer de quoi je suis capable, demande le gars.

— O.K., voici une hache. Tu vois cet érable gigantesque là-bas? Va l'abattre.

Alors le petit gars s'en va au pied de l'arbre, et en une minute l'arbre est par terre! Le chef d'exploitation n'en revient pas. Il demande:

— Mais où as-tu appris à couper un arbre aussi vite?

— Au Sahara.

— Tu veux dire dans le désert du Sahara?

Alors le petit gars rigole et dit:

— Ouais! c'est comme ça qu'ils l'appellent maintenant.

Dieu le Père

Un curé téléphone à son évêque:

— Monseigneur, j'ai dans mon église un vieux bonhomme à barbe blanche qui prétend être Dieu le Père! Que dois-je faire?

— À votre place, répond l'évêque, je m'efforcerais de ne pas avoir l'air inactif, on ne sait jamais.

Filles syndiquées

Un chef syndicaliste se cherche une fille et fait le tour des bordels dans une rue. Dans le premier, il demande à la tenancière:

— Est-ce que vos filles sont syndiquées?

— Non, monsieur.

— Quel est le pourcentage des revenus qui vont à la maison?

— 80 % pour la maison, 20 % pour la fille, lui répond la tenancière.

— C'est inacceptable.

Et le type passe tous les bordels de la rue, mais il obtient les mêmes réponses. Arrivé au dernier, le syndicaliste demande à la tenancière:

— Est-ce que vos filles sont syndiquées?

— Oui, monsieur.

— Quel est le pourcentage des revenus qui vont à la maison?

— 20 % pour la maison, 80 % pour la fille.

— Ah! C'est excellent, ça. Et est-ce que la jeune rousse dans le coin est disponible?

— Désolée, monsieur, lui dit la tenancière, vous devez prendre la petite vieille de 70 ans. C'est elle qui a le plus d'ancienneté.

Grande joie

Un journaliste demande à un artiste renommé:

— La plus grande joie, pour un peintre, lui vient certainement la première fois qu'il expose ses toiles.

— Non. C'est plutôt la première fois qu'on lui en vole une.

Champion et amateur

Un Américain et un Français sont dans un train, assis l'un en face de l'autre. Ils se dévisagent avec curiosité. L'Américain est l'archétype du parfait cow-boy. Le Français est tout ce qu'il y a de plus moyen.

Au bout d'un moment, le Texan lâche une volée de petits crachats, qui viennent dessiner une auréole parfaite autour de la tête du Français, et il dit:

— Smith, John Smith. Champion du monde professionnel de crachat 2001, je suis même dans *Le livre Guinness des records*.

Après une légère hésitation, le Français envoie un gros crachat en pleine figure du Texan et lui répond:

— Dupont, Jean Dupont. Amateur.

George

— George est si distrait, se plaint le directeur commercial à sa secrétaire.

— C'est étonnant car c'est un excellent vendeur, répond la secrétaire.

— Je lui ai demandé de me rapporter quelques sandwichs à son retour de déjeuner et je ne suis pas sûr qu'il s'en rappellera.

À ce moment-là, George rentre en claquant la porte.

— Vous ne devinerez jamais ce qui est arrivé! cria-t-il. Pendant que je déjeunais, j'ai rencontré monsieur Brown, celui qui ne nous a rien acheté depuis cinq ans. Bien, nous avons discuté un moment et il m'a donné ce demi-million de dollars pour qu'on l'investisse.

— Vous voyez, soupire le directeur commercial à sa secrétaire, je vous ai dit qu'il oublierait les sandwichs.

Gestion

Fraîchement sorti de l'école de gestion, un jeune homme répond à une annonce pour un emploi d'expert-comptable.

— J'ai besoin d'une personne extrêmement qualifiée en gestion, lui dit le patron, mais, surtout, il me faut quelqu'un qui s'occupe de mon plus gros souci.

— C'est-à-dire? demande le jeune homme.

— Eh bien! mon plus gros souci, ce sont les finances. Votre travail consistera à me libérer de ce fardeau.

— Je vois, répond le jeune diplômé, et quelle sera ma rémunération pour ce poste?

— Vous commencerez à 200 000 $ par année.

— 200 000 $ par an! s'exclame le gars. Mais comment une si petite affaire peut-elle se permettre de payer des salaires aussi élevés?

— Ça, répond le patron, ça sera la première chose dont vous aurez à vous préoccuper.

Ordinateur en panne

Dans un centre de recherche spatiale, l'ordinateur vient de tomber en panne. Un des responsables, complètement affolé, crie à tout le monde:

— L'un de vous se rappelle-t-il comment on fait une addition?

Bébés

Dans le compartiment d'un train, un homme porte deux bébés, un dans chaque bras. Une femme s'installe devant lui et entame la conversation.

— Quels beaux bébés! Comment s'appellent-ils?

L'homme lance un regard agacé à la dame et répond:

— Je ne sais pas.

— Ce sont des petits garçons ou des petites filles? demande la dame.

L'homme semble encore plus agacé et répond:

— Je ne sais pas.

— Mais enfin, quelle sorte de père êtes-vous donc? demande la dame.

— Je ne suis pas leur père, répond l'homme, je suis représentant en préservatifs et eux, ce sont deux plaintes que je vais déposer à la direction!

Inventions

Un touriste en Suisse est accompagné d'un guide.

— C'est qui, lui? demande le touriste devant la statue d'un gars.

— C'est le gars qui a inventé le système d'engrenage.

Un peu plus tard, encore une statue du même gars. Le touriste demande:

— C'est qui, lui?
— C'est le gars qui a inventé le *yodel*.
— Ben, c'est pas lui qui a inventé le système d'engrenage?
— Oui, mais y a inventé le *yodel* en se poignant les couilles dans son système d'engrenage.

Repas

Jean, un jeune cadre dynamique et plein d'ambition, ne recule devant aucune manœuvre pour bien paraître aux yeux de son patron. Un beau jour, il rentre du travail et dit à sa femme:

— Chérie, j'ai invité le patron à souper. J'espère que ça ne te dérange pas?

Sa femme ne veut pas recevoir le patron à souper mais après une bonne engueulade, elle accepte à contre-cœur. Au moment de servir le repas, elle n'est pas encore calmée;

pour montrer sa désapprobation, elle apporte une assiette sur laquelle trônent trois hamburgers à peine décongelés, et elle sert le tout en étant à poil sous son tablier de cuisine fait de plastique transparent. Le patron, amusé, tente de détendre l'atmosphère:

— Chère madame, vous feriez un malheur dans notre service de marketing, vous savez comment mettre en valeur un produit de mauvaise qualité!

Vénus de Milo

Un patron dit à sa secrétaire:

— Mademoiselle Solange, vous me rappelez la Vénus de Milo!
— Oh! patron, vous me flattez!
— Non, non, je vous assure! À voir le travail que vous faites, on croirait que vous n'avez pas de bras!

Inspection

Après le décollage d'un avion, comme d'habitude, deux hôtesses inspectent les lieux. Une des deux dit à l'autre:

— Va voir à la queue de l'avion s'il y a de nouvelles têtes, moi, je vais faire le contraire.

Massage thaïlandais

Un homme d'affaires va en voyage en Extrême-Orient. Dans le palace où il habite, il trouve sur la table de nuit de sa chambre un petit carton sur lequel il est écrit: «Relaxez-vous avec notre massage thaïlandais.»

Intéressé, il téléphone à la réception. Dix minutes plus tard, on frappe à la porte et une ravissante Asiatique entre. Elle le fait allonger à plat ventre, nu, et commence à lui masser le dos d'une main particulièrement experte. Ensuite, elle lui demande de se retourner. L'homme, qui n'en peut plus, exhibe une érection.

— Toi veux jouir? dit la masseuse en souriant.
— Oh oui! Oh oui!

Elle passe dans la salle de bains. Au bout de cinq minutes, elle ouvre la porte et dit:

— Toi fini masturbation?

Mars

Grande première spatiale, un cosmonaute a exploré la planète Mars. À son retour sur Terre, une meute de journalistes l'attend. Et la première question est:

— Y a-t-il de la vie sur Mars?
— Oui, répond le cosmonaute, mais surtout le samedi soir. Les autres jours, c'est vraiment mort...
— À quoi ressemblent les Martiennes? demande un jeune journaliste.
— À quelques détails près, aux Terriennes.

— Qu'est-ce qui les différencie?

— Essentiellement une chose, elles ont les seins dans le dos.

— Ça doit faire bizarre? demande un journaliste.

— Un peu, répond le cosmonaute. Mais pour danser, c'est bien.

Magicien

Un magicien se présente à un organisateur de spectacles qui lui demande:

— Quel est votre meilleur tour?

— Scier une femme en deux.

— C'est difficile?

— Non, j'ai commencé tout jeune, je me suis exercé sur mes sœurs.

— Et vous venez d'une famille nombreuse?

— Oui, j'ai huit demi-sœurs.

Pointure

Dans un magasin de chaussures, un client dit au vendeur:

— Je voudrais le modèle qui est là en vitrine. Pointure 40.

Le vendeur regarde les pieds du client et lui dit:

— Monsieur, je crois que vous faites erreur. J'ai l'habitude, et je puis vous dire que vous faites du 42. C'est bien pour vous?

— Oui, mais donnez-moi du 40!

— Je vous assure qu'il vous faut du 42.

— Écoutez, jeune homme, n'insistez pas. J'ai un patron qui me traite comme un chien, un fils drogué, une fille enceinte sans que l'on sache de qui. Ma femme me trompe avec mon meilleur ami, ma mère est à l'hôpital et mon banquier me harcèle. Mon seul bonheur dans la vie, c'est quand j'enlève mes chaussures.

Réparateur

C'est un médecin dont la sonnette de porte d'entrée ne fonctionne plus. Il appelle un électricien, qui promet de venir dans une heure. Le lendemain, le médecin téléphone à l'électricien et lui demande pourquoi il n'est pas venu comme promis. L'électricien lui répond:

— Mais je suis venu chez vous. J'ai sonné, mais comme vous n'avez pas ouvert, je suis reparti.

Inventions

En pleine ville, un gars asperge tout autour de lui avec un aérosol. Un passant lui demande:

— Que faites-vous là?

— Je viens d'inventer un produit pour éloigner les éléphants.

— Mais, il n'y a pas d'éléphants par ici.

— Alors, vous voyez bien, mon produit est efficace!

Décollage à l'aveugle

Dans un avion prêt à décoller, les passagers attendent impatiemment le pilote et le copilote qui ne sont pas encore arrivés.

Enfin, le pilote arrive avec une canne et des lunettes fumées noires. Suivent derrière le copilote et son chien guide.

Les gens commencent à s'inquiéter, se disent que ce ne peut être qu'une blague, mais non, les moteurs s'allument.

Tous regardent par les hublots, inquiets, et remarquent que l'avion prend de plus en plus de vitesse sans toutefois décoller.

Tous sont agrippés à leur siège quand ils voient la fin de la piste arriver. Les gens, pris de panique, se mettent à hurler et l'avion finit par décoller. Le pilote dit alors au copilote:

— Tu vas voir, un de ces jours on va se casser la gueule parce que ces cons de passagers ne vont pas crier à temps!

Docteur

Un homme d'une soixantaine d'années confie à son médecin:

— Docteur, je souffre d'insomnie, je suis alcoolique, j'ai du diabète et du cholestérol. Ma femme me trompe avec un de mes jeunes associés parce que je suis tellement absorbé par mon travail que je n'arrive plus à la contenter sur le plan sexuel.

— Félicitations! s'écrie le médecin, vous présentez tous les symptômes de l'homme d'affaires qui a réussi.

Enfants

Une jeune et ravissante employée de maison se présente chez ses futurs patrons avec une tonne de références. L'homme lui demande:

— À propos, ma fille, vous aimez les enfants?

— Euh… c'est-à-dire que oui… mais je préférerais que monsieur fasse attention.

Bon patron

Un employé à son patron:

— Patron, mon salaire n'est pas en rapport avec mes capacités!

— Je sais bien, lui dit le patron bien gentiment, mais nous ne pouvons tout de même pas vous laisser mourir de faim.

Quoi faire pour passer le temps au travail

• À l'heure du lunch, asseyez-vous dans votre voiture avec vos verres fumés et pointez un séchoir à cheveux vers les voitures qui viennent dans votre direction. Regardez-les ralentir.

• Demandez-vous à l'intercom. Ne déguisez pas votre voix.

• Si quelqu'un vous demande de faire quelque chose, demandez-lui s'il aimerait des frites avec ça.

• Encouragez vos collègues à se joindre à vous dans une danse de chaises synchronisées.

• Développez une peur irrationnelle des agrafeuses.

• Mettez du café décaféiné dans le percolateur pendant trois semaines. Une fois que tout le monde a surmonté son besoin de caféine, changez pour de l'espresso.

• Dans la partie «note personnelle» de tous vos chèques, inscrivez «pour faveurs sexuelles».

• Répliquez à tout ce qu'une personne dit par «C'est ce que tu penses?».

• Terminez toutes vos phrases par «selon la prophétie».

• Ajustez la teinte de votre écran de façon que le niveau de luminosité illumine tout le bureau. Dites à vos collègues que vous aimez ça.

• N'utilisez aucune ponctuation.

• Aussi souvent que possible, bondissez plutôt que de marcher.

• Demandez aux gens de quel sexe ils sont. Riez de façon hystérique de leur réponse.

• Spécifiez que votre commande au service au volant est pour emporter.

• Syntonisez un poste d'opéra au bureau et chantez avec les interprètes.

• Avec vos collègues, assistez à une soirée de poésie et demandez pourquoi les poèmes ne riment pas.

• Envoyez un courriel à tous vos collègues de travail pour leur dire exactement ce que vous faites. Par exemple, «si quelqu'un a besoin de moi, je serai à la toilette dans la troisième cabine».

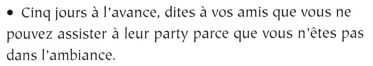

- Mettez un filet à moustiques autour de votre espace de travail. Jouez un enregistrement des sons de la jungle toute la journée.

- Cinq jours à l'avance, dites à vos amis que vous ne pouvez assister à leur party parce que vous n'êtes pas dans l'ambiance.

- Appelez une ligne de médiums et ne dites rien.

- Lorsque l'argent sort du guichet automatique, criez: «J'ai gagné, j'ai gagné! C'est la troisième fois cette semaine!»

- Pour les journées organisées de la compagnie, insistez pour aller au zoo avec vos collègues. En quittant le zoo, courez vers le stationnement en criant: «Au secours, ils se sont échappés!»

- Dites à votre patron: «Ce ne sont pas les voix dans ma tête qui me dérangent, ce sont les voix dans TA tête.»

- Dites à vos enfants au souper: «Pour des raisons d'économie, nous allons devoir nous débarrasser d'un de vous.»

- Posez une poubelle sur votre bureau et inscrivez-y: «Dossiers en priorité.»

- Découvrez à quel endroit votre patron magasine et achetez exactement les mêmes vêtements. Portez-les une journée après votre patron (c'est particulièrement efficace si celui-ci est du sexe opposé).

Moutons

Un berger et ses moutons traversent une route. Un jeune homme très bien habillé arrive dans une Mercedes, s'arrête près du berger et lui dit:

— Si je devine le nombre de moutons que vous avez, est-ce que vous m'en donnez un?

Le berger regarde le jeune homme, puis lance un regard vers ses moutons qui broutent et dit:

— Oui.

Le jeune homme gare sa voiture, branche son ordinateur, entre dans un site de la NASA, scrute le terrain à l'aide du GPS, établit une base de données, 60 tableaux, plus un rapport de 150 pages. Il se tourne vers le berger et dit:

— Vous avez ici 1586 moutons.

— C'est tout à fait exact, vous pouvez avoir votre mouton, répond le berger.

Le jeune homme prend le mouton et le met dans sa voiture. À ce moment-là, le berger lui demande:

— Si je devine votre profession, est-ce que vous me rendez mon mouton?

— Oui, répond le jeune homme.

— Vous êtes consultant, dit le berger sans hésiter.

— Comment vous avez deviné? demande le jeune homme.

— Très facile, répond le berger. Vous êtes venu ici sans qu'on vous appelle, vous me taxez un mouton pour me dire ce que je savais déjà, et vous ne comprenez rien à ce que je fais parce que vous avez pris mon chien.

Joie

Tout le monde apporte de la joie dans un bureau, certains en entrant, d'autres en sortant.

Comptables

Trois comptables se retrouvent dans un bar après un congrès. Ils boivent une bière, puis vont pisser tous ensemble. Le premier se secoue, va se laver les mains puis se les sèche longuement avec plusieurs serviettes en disant:

— Dans ma boîte, on nous apprend à être méticuleux!

Le deuxième se lave les mains et se les sèche minutieusement avec une seule serviette en disant:

— Dans ma boîte, on nous apprend à être méticuleux et efficaces.

Le troisième sort sans se laver les mains en disant:

— Dans ma boîte, on nous apprend à ne pas se pisser dessus!

Maman

Un fils se plaint à sa mère:

— Personne ne s'intéresse à moi, au collège. Les professeurs ne m'aiment pas, les étudiants non plus. L'inspecteur voudrait me renvoyer et les chauffeurs des bus scolaires ne peuvent pas me sentir. Je ne veux plus aller au collège!

— Allons, dit sa mère. Il faut pourtant bien que tu y ailles! Sois responsable et courageux. Et puis après tout, tu as 48 ans et tu en es le directeur!

Absentéisme

Robert est le grand champion de l'absentéisme au travail. Encore une fois, ce matin, il ne s'est pas présenté au travail. L'après-midi, le patron vient le voir:

— Alors, vous n'êtes pas venu travailler ce matin?

— Oui, je m'excuse. Ma femme a eu un accouchement difficile, répond Robert.

— Un accouchement difficile, dites-vous? Comme la semaine dernière, et la semaine d'avant. Votre femme accouche donc en moyenne quatre à cinq fois par mois. Vous vous foutez de moi! rugit le patron.

— Pas du tout, répond Robert. Ma femme est sage-femme.

Saucisson

Un boucher prévoyant et ayant vu venir sa mort décida d'emporter un saucisson avec lui au cas où le voyage vers la paradis serait long. Arrivé aux portes du paradis, le boucher est invité à entrer. Mais voilà que saint Pierre lui dit:

— Attends un peu. Qu'est-ce que tu as là?

Le boucher lui dit que c'est une collation. Saint Pierre répond:

— Je ne connais pas ça.

Il prend la saucisse et la montre à l'intérieur du paradis en criant:

— Il y a quelqu'un qui connaît ça?

Au loin, on entend la voix de Marie qui dit:

— Y aurait pas de ficelle que ça me rappellerait le Saint-Esprit...

Mémoire

Le directeur convoque le chef du personnel.

— Je vous avais bien demandé de renvoyer cette secrétaire?
— Oui, monsieur, à cause de son manque de mémoire.
— Et alors?
— Je l'ai renvoyée. Seulement, elle a dû oublier qu'on l'avait mise à la porte. Alors, elle est revenue ce matin.

Amiral

Un amiral servant dans le port de Montréal a pris l'habitude de conduire chaque matin son petit garçon à l'école avant de se rendre au bureau. Un matin, il ne résiste pas à poser à son fils une question qui lui trottait dans la tête depuis un certain temps.

— Tes copains doivent être impressionnés de me voir comme ça, tous les jours, en grand uniforme.

— Oh oui! répond le garçon. Ils croient tous qu'on a un chauffeur!

Emploi au chômage

Un gars va voir le commis au comptoir du chômage et lui demande:

— Avez-vous un emploi pour moi?

— J'en ai justement un pour vous. Représentant des ventes, 60 000 $ par année plus les commissions, auto fournie, compte de dépenses, etc.

— Arrêtez, me niaisez-vous?

— Eh! C'est vous qui avez commencé.

Membre masculin

Un Québécois est en avion, il revient de France et est assis à côté d'une magnifique jeune Française qui lit un magazine. Après quelques minutes, ils font connaissance et la fille dit au gars:

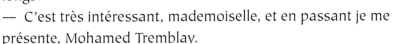

— Je suis en train de lire un article très intéressant sur le membre masculin. Paraît-il que ce sont les Arabes qui ont les plus gros, et paraît-il que ce sont les Québécois du Saguenay qui ont les plus longs.

— C'est très intéressant, mademoiselle, et en passant je me présente, Mohamed Tremblay.

Troisième âge

Une vieille dame au volant de sa Mercedes commence à se stationner. Mais elle n'est pas bien rapide, et voilà qu'un jeune blanc-bec au volant de sa Porsche se glisse dans l'espace libre.

— Ah! Jeune et rapide! s'exclame le jeune.

Alors la vieille, sans perdre son sang-froid, recule, prend de l'élan, fonce dans la Porsche du jeune homme et lui dit:

— Ah! Vieille mais riche!

Bon boulot

Dieu vient juste de finir Ève. Plutôt satisfait de son boulot, il demande conseil à différents corps de métiers.

— Dites-moi, les gars, vous en pensez quoi d'Ève?
— Pas mal, un peu fragile mais pas mal, répond le charpentier.
— Ça peut aller, dit le menuisier, mais il reste quand même une sacrée fente au milieu, l'ajustement est limité.
— C'est nul comme boulot, répond l'architecte, pourquoi avoir mis la salle des fêtes à côté des toilettes?

Bourgeoisie

Une bourgeoise est avec son nouvel amant dans un resto très classe. La soupe est terminée et alors que le serveur débarrasse la table, la dame lâche un vrai gros pet. Essayant de sauver la face, elle dit au garçon:

— Monsieur! S'il vous plaît, arrêtez cela immédiatement!

— Bien, madame, dans quelle direction est-il parti?

Éducation

Un jeune homme avec une carrière prometteuse devant lui décide un jour de se marier avec une fille respectable. Sa promise a fait toute son éducation dans un couvent. Après la cérémonie, les jeunes mariés prennent la voiture pour rejoindre leur nid d'amour. Ils doivent cependant traverser un quartier de la ville où les prostituées exercent leurs talents.

— Charles-Edmond, que font ces femmes appuyées contre les murs et les lampadaires?

— Oh! ce sont des femmes qui louent leur corps pour le sexe et demandent 100 $.

— 100 piastres! s'exclame la jeune mariée, et les moines qui nous donnaient simplement une tablette de chocolat!

Désert

Trois touristes, accompagnés d'un guide, se rendent dans le désert. Sur le chemin, ils voient un bâtiment. Le guide leur dit que c'est un couvent de religieuses, qu'il ne faut pas y aller car c'est dangereux, elles n'acceptent pas les hommes. Ils continuent leur chemin quand une tempête de sable surgit. Les chameaux meurent et le guide s'enfuit, laissant les trois hommes seuls dans le désert, assoiffés et affamés. Bien que les deux autres essaient de l'en dissuader, le premier va frapper au couvent pour avoir de l'eau. Il supplie la sœur de le laisser entrer. La sœur le prévient:

— Nous n'acceptons pas les hommes ici.

— Je m'en fous, j'ai trop soif.

Il entre et les deux autres entendent un grand cri. Le deuxième homme craque et se dirige vers le couvent. Il frappe et, même scénario, un grand cri. Enfin, le troisième, n'ayant plus le choix, va frapper au couvent. Avant d'entrer, il demande à la sœur de lui dire ce qui est arrivé aux autres. Elle explique:

— Le premier était boucher, on les lui a coupées. Le deuxième était vigneron, on les lui a pressées.

À ce moment, le troisième se met à rire et dit:

— Moi, je suis marchand de sucettes.

Test du célibat

Ce sont trois jeunes candidats à la prêtrise. L'évêque s'est déplacé pour leur faire passer le dernier test. Il les conduit dans une pièce et leur demande de se déshabiller. Ensuite, il demande à chacun de s'attacher une petite clochette au pénis. Lorsque tout le monde est prêt, une superbe fille entre dans la pièce et vient se placer devant le premier candidat. Elle entame un strip-tease torride. Elle s'est à peine déshabillée que l'on entend la cloche «tingingling». L'évêque dit au premier candidat:

— Patrick, votre manque de contrôle vous joue des tours. Emportez vos vêtements et courez prendre une douche froide. Vous en profiterez pour prier et méditer sur votre faiblesse.

Pendant ce temps, la jeune fille, qui s'était placée devant le deuxième candidat, continuait son strip-tease. Lorsque celle-ci arriva à la petite culotte, l'évêque put entendre la cloche «tingingling».

— Joseph, lui dit l'évêque, toi non plus tu n'es pas capable de réfréner tes pulsions charnelles. Une douche froide et des prières pour toi aussi.

Et le deuxième candidat quitte la pièce. À ce moment, la jeune fille est déjà toute nue en train de danser avec désir, mais rien ne se passe. Elle a beau se frotter contre le corps du jeune homme, aucune réaction. L'évêque est très satisfait et il dit:

— Michel, mon fils, je suis vraiment fier de toi! Tu es le seul à avoir eu assez de force de caractère pour ne pas t'être laissé aller à tes pulsions charnelles. Tu deviendras un

Le cheval s'élance ventre à terre vers une falaise. Le cavalier, effrayé, crie:

— Amen!

Le cheval s'arrête à 10 cm de la falaise.

126   — Ouf! dit le gars, Dieu soit loué!

Combinaison de plongée

Depuis des mois, un homme d'affaires est tout seul sur une île après que son bateau a fait naufrage. Un beau jour, un autre bateau fait naufrage et une superbe fille en combinaison de plongée débarque sur la plage. Elle fait connaissance avec le gars et lui dit:

— Ça fait longtemps que t'es ici, je pense que j'ai quelque chose qui ferait ton bonheur.

La fille sort d'une des poches de sa combinaison un paquet de cigarettes intact. Le gars est content et en prend une. La fille ouvre une autre poche et lui dit:

— J'pense que j'ai quelque chose que t'as pas eu depuis longtemps.

La fille sort un petit 10 oz de scotch. Le gars est content, il en prend une gorgée et là, la fille lui dit sensuellement en enlevant sa combinaison:

— J'ai aussi autre chose dont je pense que t'as été privé ben longtemps.

Le gars, excité, lui dit:

— Dis-moi pas que t'as un sac de golf là-dedans, toi?

prêtre très rapidement. Maintenant, tu peux aller rejoindre tes deux compagnons sous la douche.

«Tingingling»

Turbulence

Un avion est en vol et il y a beaucoup de turbulences. À un certain moment, un moteur lâche et de grands coups secouent l'avion. Une vieille dame se met à crier, complètement hystérique:

— Tout le monde dans l'avion, priez!

— Je sais pas comment prier, madame, lui dit un jeune homme.

— Débrouillez-vous quand même pour faire quelque chose de religieux!

Là-dessus, le jeune homme se rassoit et se met à dire:

— B 8, O 47, I 14...

Cheval

Un homme se rend à une ferme pour acheter un cheval. Le fermier lui dit:

— Je te le vends 500 $, mais attention. Il avance juste si tu lui dis «Dieu soit loué» et il s'arrête seulement si tu lui dis «Amen».

L'homme enfourche le cheval et dit:

— Dieu soit loué!

Le cheval s'élance ventre à terre vers une falaise. Le cavalier, effrayé, crie:

— Amen!

Le cheval s'arrête à 10 cm de la falaise.

126

— Ouf! dit le gars, Dieu soit loué!

Combinaison de plongée

Depuis des mois, un homme d'affaires est tout seul sur une île après que son bateau a fait naufrage. Un beau jour, un autre bateau fait naufrage et une superbe fille en combinaison de plongée débarque sur la plage. Elle fait connaissance avec le gars et lui dit:

— Ça fait longtemps que t'es ici, je pense que j'ai quelque chose qui ferait ton bonheur.

La fille sort d'une des poches de sa combinaison un paquet de cigarettes intact. Le gars est content et en prend une. La fille ouvre une autre poche et lui dit:

— J'pense que j'ai quelque chose que t'as pas eu depuis longtemps.

La fille sort un petit 10 oz de scotch. Le gars est content, il en prend une gorgée et là, la fille lui dit sensuellement en enlevant sa combinaison:

— J'ai aussi autre chose dont je pense que t'as été privé ben longtemps.

Le gars, excité, lui dit:

— Dis-moi pas que t'as un sac de golf là-dedans, toi?

prêtre très rapidement. Maintenant, tu peux aller rejoindre tes deux compagnons sous la douche.

«Tingingling»

Turbulence

Un avion est en vol et il y a beaucoup de turbulences. À un certain moment, un moteur lâche et de grands coups secouent l'avion. Une vieille dame se met à crier, complètement hystérique:

— Tout le monde dans l'avion, priez!

— Je sais pas comment prier, madame, lui dit un jeune homme.

— Débrouillez-vous quand même pour faire quelque chose de religieux!

Là-dessus, le jeune homme se rassoit et se met à dire:

— B 8, O 47, I 14...

Cheval

Un homme se rend à une ferme pour acheter un cheval. Le fermier lui dit:

— Je te le vends 500 $, mais attention. Il avance juste si tu lui dis «Dieu soit loué» et il s'arrête seulement si tu lui dis «Amen».

L'homme enfourche le cheval et dit:

— Dieu soit loué!

Rien à déclarer

Un gros camion s'arrête à la douane. Le douanier demande au conducteur s'il a quelque chose à déclarer.

— Non, rien à déclarer.

Le douanier regarde la remorque qui semble très lourde. Il demande au conducteur d'ouvrir les portes pour une inspection. À l'intérieur, il y a un éléphant avec une tranche de pain collée sur chaque oreille.

— C'est quoi, ça? s'exclame le douanier.

— Quoi? On n'a plus le droit de mettre ce que l'on veut dans son sandwich!

Enchères

Dans un encan, on vend un perroquet aux enchères.

— 1000 $!
— 2000 $!
— 5000 $!
— 10 000 $!

Au bout d'un moment, un gars gagne les enchères pour un prix exorbitant. Il s'adresse à l'encanteur:

— Dites, votre perroquet, j'espère qu'il parle, pour ce prix-là?

Et le perroquet lui répond:

— Eh l'épais! Qui a fait monter les enchères, d'après toi?

Party

Un homme d'affaires très riche organise un party. Pour ajouter un peu de piquant, il met dans sa piscine des crocodiles, des piranhas et d'autres créatures venimeuses. Au cours de la soirée, il dit:

— Celui qui a le courage de plonger d'un bout de la piscine pour en ressortir de l'autre côté se verra honoré et pourra me demander trois choses que je ne pourrai pas lui refuser.

Tous les invités regardent la piscine, mais personne n'ose s'aventurer dans quelque chose de si dangereux. Vers la fin de la soirée, on entend un «plouf». Tout le monde se retourne vers la piscine: un homme nage à toute vitesse et en ressort à l'autre bout, vivant. L'hôte de la soirée n'en croit pas ses yeux et dit:

— T'es fou, mais très courageux! Alors, comme j'ai promis, demande-moi trois choses et je te les donnerai.
— Premièrement, lui répond l'homme, je veux la carabine de chasse qui est sur votre mur de salon. Deuxièmement, je veux les balles qui vont avec. Troisièmement, vous allez me dire c'est qui le con qui m'a poussé dans la piscine!

Zoo

Un chômeur désespéré voit une petite annonce qui dit que le zoo engage du personnel. Alors le gars se présente au zoo et on lui explique:

— Voyez-vous, la star de notre zoo, celle qui attirait toute notre clientèle, c'était un chimpanzé, mais notre chimpanzé est mort. Alors on cherche quelqu'un pour jouer le rôle du chimpanzé.

Le gars trouve ça humiliant, mais il a besoin de travailler, donc il accepte. Le patron lui donne un costume de chimpanzé. Ainsi, tous les jours, le gars est dans l'enclos des chimpanzés et fait le singe en jouant avec ce qu'il y a. Entre autres, il y a un pneu au bout d'une corde sur lequel il se balance. Et quand il se balance, il passe au-dessus de l'enclos des lions. C'est très spectaculaire. Mais un jour, la corde se brise et le chimpanzé se retrouve dans l'enclos aux lions. Un lion s'approche de lui en grognant, l'air féroce et tout. Comme le lion arrive sur lui, le gars enlève son masque de chimpanzé et lui dit:

— Arrêtez! Arrêtez! Je suis un humain!

Le lion enlève son masque:

— Ta gueule! On va tous perdre nos jobs!

Miss France

Un homme d'affaires raconte à un collègue:

— Je faisais partie du jury pour élire Miss France. Les candidates défilaient quand la bretelle retenant le maillot de bain de l'une d'elles s'est brisée.

— Elle s'est retrouvée les seins à l'air? Elle devait être rouge de honte!

— Je ne sais pas. En fait, à ce moment-là, parmi les membres du jury, personne n'a eu l'idée de regarder son visage.

Crocodile

Ça se passe dans un cirque. Un gars arrive sur scène avec un lion. Il ouvre la bouche de l'animal et y entre son torse au complet. Après un moment, il en ressort intact et la foule applaudit. Le public en redemande. Le gars va alors chercher un éléphant, lui ouvre la bouche et y entre complètement sa tête. Après un moment, il en ressort intact, sans aucune blessure. Le public l'acclame et en redemande.

Le gars décide alors de faire son plus grand exploit. Il va donc chercher un crocodile, lui ouvre la bouche et y met son pénis. Le crocodile referme sa bouche sur le pénis du gars. Celui-ci essaie de le sortir, mais en est incapable. Il attrape donc un cendrier et donne trois gros coups sur la tête du crocodile, qui lâche enfin prise. Le gars reprend son souffle et demande à la foule:

— Est-ce que quelqu'un voudrait l'essayer?

Une vieille dame lève sa main et répond:

— Oui, moi. Mais frappez-moi pas trop fort avec le cendrier.

Liste d'excuses des employés du gouvernement

Voici une liste à conserver précieusement. Vous aurez peut-être besoin d'utiliser l'une ou l'autre de ces excuses dans des situations délicates où vous devrez sauver la face ou gagner du temps. Ces excuses ont été testées au gouvernement depuis qu'il existe et elles sont toujours d'usage.

- «Cela s'est toujours fait ainsi.»

- «Personne ne m'a indiqué que ça pressait.»

- «Ça ne relève pas de mon service.»

- «J'attendais une confirmation avant de commencer.»

- «Comment aurais-je pu le deviner?»

- «C'est un oubli de ma part.»

- «J'étais trop occupé pour terminer.»

- «J'ai cru comprendre que quelqu'un d'autre devait le faire.»

- «Personne n'a pu le trouver.»

- «Je croyais que vous étiez au courant.»

- «C'est pas moi qui fais les règlements.»

Sorcière

Une grosse pierre accrochée autour du cou, un homme s'apprête à sauter à l'eau quand une main lui touche l'épaule. Il se retourne et voit une vieille femme en noir, avec un nez crochu, qui lui dit:

— Pourquoi fais-tu ça?

— Je suis criblé de dettes. Ce matin, mon patron m'a flanqué à la porte. Quand j'ai annoncé ça à ma femme en rentrant, elle a fait sa valise. Je veux mourir.

— Écoute-moi. Je suis une sorcière et j'ai le pouvoir d'arranger tout ça. Fais trois vœux.

— Je voudrais que ma femme revienne; je voudrais retrouver du travail; je voudrais de l'argent.

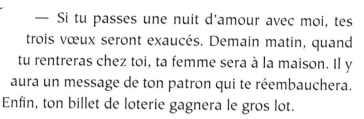

— Si tu passes une nuit d'amour avec moi, tes trois vœux seront exaucés. Demain matin, quand tu rentreras chez toi, ta femme sera à la maison. Il y aura un message de ton patron qui te réembauchera. Enfin, ton billet de loterie gagnera le gros lot.

Surmontant sa répulsion, et ne pensant qu'à la réalisation de ses trois vœux, le malheureux passe la nuit avec la vieille femme. Le lendemain, alors qu'il s'apprête à partir, elle lui demande:

— Quel âge as-tu?
— Quarante ans.
— Et à 40 ans, tu crois encore aux sorcières?

Dure fin de semaine

Trois secrétaires se retrouvent le lundi matin au travail. La première dit:

— J'ai passé une belle fin de semaine. Je suis sortie samedi soir, j'ai rencontré un bel homme chic. Il m'a raccompagnée chez moi et m'a prise toute la nuit.
— Moi, fait la deuxième, j'ai rencontré un joueur de basket américain, un immense gars. Il m'a ramenée à la maison, m'a jetée sur le lit comme un ballon et m'a prise toute la nuit.
— Eh bien! moi aussi j'ai accroché un mec en fin de semaine. Le genre délinquant, comme je les aime. Arrivé dans ma chambre, il m'a étendue sur le lit et, doucement, il a commencé par attacher mon bras gauche, puis le droit, et ensuite les deux jambes...

— Et après? font les deux autres, curieuses.

— Après, ben il m'a pris ma télé, mon vidéo, ma chaîne stéréo, mes bijoux…

Premiers soins

Dans un restaurant, un homme crie soudainement:

— Mon fils s'étouffe, il a avalé une pièce de monnaie, faites quelque chose!

Un homme se lève calmement, vient voir le père et lui dit qu'il a l'habitude. Il se place derrière le fils et lui prend les testicules. La pièce de monnaie sort alors aussitôt. L'homme retourne s'asseoir à sa table comme si rien ne s'était passé. Le père va le voir et dit:

— Merci, merci, monsieur! Êtes-vous médecin?

— Non, je suis percepteur d'impôts.

Coq-l'œil

C'est un riche homme d'affaires, un coq-l'œil, qui va acheter un perroquet, mais le vendeur le prévient que celui-ci est très très mal engueulé. Le gars lui répond:

— C'est pas grave! Je le trouve tellement beau, je le veux! Je l'achète.

Le gars part avec le perroquet. Arrivé à la maison, il installe l'oiseau sur son perchoir. Le perroquet lui dit:

— Mange de la merde, maudit coq-l'œil!

Le gars sacre une claque au perroquet, qui tombe en bas du perchoir. Le perroquet remonte tranquillement et lui dit:

— Va chier, maudit coq-l'œil!

134 Ça continue comme ça pendant un bout; un moment donné, le gars se tanne et enferme le perroquet dans le réfrigérateur. Une demi-heure plus tard, il se rend compte qu'il l'a oublié. Il regarde et trouve le perroquet, gelé, et dans cette position:

L'oiseau lui fait signe «dans le cul» avec une main et avec son autre main se cache un œil.

Vingt...

Dans un bureau de poste, un client proteste:

— Voilà plus de 20 minutes que je suis devant ce guichet!
— Et moi, réplique le postier, ça fait 20 ans que je suis derrière. Est-ce que je me plains?

Naufragé

Parti faire une croisière en solitaire autour du monde, un jeune cadre dynamique fait naufrage et échoue finalement sur une petite île perdue au milieu du Pacifique. Il survit pendant quatre mois dans des conditions particulièrement précaires, mais, un jour, il aperçoit un petit bateau sur l'eau avec à bord la plus jolie fille qu'il ait jamais vue. Il lui fait des signes et elle débarque sur la plage. Notre homme lui demande qui elle est et d'où elle vient.

— Mais d'où venez-vous? demande le gars.

— J'habite de l'autre côté de cette île, j'ai fait naufrage il y a trois ans.

— Heureusement que vous aviez cette barque pour vous en tirer!

— Non, ce bateau, je l'ai fabriqué moi-même avec les matériaux que j'ai trouvés sur l'île.

— Mais... avec quels outils?

— Avec les matériaux que j'ai trouvés sur l'île, j'ai pu fabriquer des outils assez performants. Vous voulez voir?

Les deux naufragés font alors le tour de l'île pour débarquer devant un superbe bungalow peint en rouge et bleu. L'homme en perd presque l'équilibre.

— Vous avez construit ça vous-même? demande le gars, étonné.

— Oui, ce n'est pas grand-chose mais c'est mon petit chez-moi.

En entrant dans le bungalow, l'homme est sidéré par le décor harmonieux et tous les équipements façonnés à la main. La jeune femme lui propose alors de boire quelque chose, mais voyant le verre qu'elle lui tend, l'homme refuse poliment.

— Non, vous savez, le lait de noix de coco, je ne peux plus le sentir.

— Mais goûtez donc, insiste la jeune fille, c'est du gin. J'en ai quelques bouteilles en réserve. En passant, il y a un cabinet de toilettes et un rasoir là-bas. Pendant ce temps, je vais enfiler une tenue plus légère pour être à l'aise.

Complètement fasciné, le jeune homme ne pose plus de questions et part se doucher. Un peu plus tard, la jeune

femme réapparaît dans un déshabillé élégant et très suggestif. Elle s'assoit sur un divan et invite son nouvel ami à s'approcher d'elle. En le regardant d'un air doux, elle lui dit alors:

— Dites-moi, vous êtes seul depuis si longtemps sur cette île perdue. Je suis sûre que quelque chose pourrait vous faire un immense plaisir. Quelque chose que vous n'avez pas pu faire depuis de si longs mois et qui vous démange.

L'homme n'en croit pas ses oreilles et répond:

— Vous voulez dire… Non! Ne me dites pas! Je peux recevoir mes courriels aussi?

Comptable recherché

Une société cherche un comptable et passe une annonce. Trois candidats se présentent. Le patron fait entrer le premier candidat, un homme froid à l'air austère.

— Bonjour, monsieur, lui dit le patron, nous allons nous permettre de tester vos capacités pour voir si vous avez le bon profil. Un emploi de comptable, c'est sérieux. Pouvez-vous compter jusqu'à dix?

— Mais, bien sûr. Une, deux, une, deux, une, deux.

— C'est pas terrible. Que faisiez-vous avant?

— J'étais adjudant dans l'armée de terre.

— Écoutez, on vous appellera.

La deuxième candidate entre à son tour. C'est une femme, un peu niaise.

— Bonjour. Je vais vous demander de compter jusqu'à dix.

— Facile. Un, trois, cinq, sept, neuf.

— Dites donc, c'est pas fameux. Qu'est-ce que vous faisiez avant?

— Facteur, mais je suis toujours restée sur les côtés impairs.

— Écoutez, on vous appellera.

Le patron fait entrer le dernier candidat.

— Bonjour, monsieur. Êtes-vous capable de compter jusqu'à dix?

— Sans problème. Un, deux, trois, quatre, cinq, six, sept, huit, neuf, dix.

— Formidable. Vous avez l'air du comptable idéal. Et vous pouvez continuer?

— Oui. Valet, dame, roi.

— Ça se gâte, qu'est-ce que vous faisiez avant?

— Pompier.

Ingénieur au paradis

Un ingénieur meurt et arrive aux portes du paradis. Saint Pierre vérifie son dossier et lui dit:

— Ah! vous êtes ingénieur. Vous êtes au mauvais endroit.

L'ingénieur est donc reçu en enfer. L'ingénieur est déçu du confort en enfer et commence donc à apporter quelques améliorations. Après un certain temps, l'enfer est climatisé, les toilettes sont modernes et confortables et il y a des escaliers roulants partout. L'ingénieur devient un type assez populaire.

Un jour, Dieu appelle Satan au téléphone et lui demande comment ça va. Satan répond:

— Les choses vont très bien. Nous avons la climatisation, des toilettes magnifiques et des escaliers roulants, et nous ne savons pas ce que cet ingénieur va nous construire prochainement encore.

— Quoi? répond Dieu, vous avez un ingénieur? C'est une erreur. Il n'aurait jamais dû se retrouver en enfer. Envoyez-le au paradis tout de suite.

— Jamais, répond Satan, j'aime avoir un ingénieur parmi mon personnel, et je le garde.

— Renvoyez-le au paradis ou j'intenterai un procès.

— Ben oui, dit Satan en rigolant, et où est-ce que tu vas trouver ton avocat?

Club Med

Deux hommes d'affaires discutent.

— Alors, cet hiver tu envoies ta femme au Club Med, comme d'habitude?

— Non, cette année, je suis un peu fauché. Je la sauterai moi-même.

Fax

Un professeur de mathématiques envoie un fax à sa femme:

«Chère épouse, tu dois réaliser que tu as maintenant 54 ans et que j'ai certains besoins que tu ne peux plus combler. Outre cet aspect, je suis très heureux de t'avoir comme épouse, et j'espère que tu ne seras pas blessée ni offensée

138

d'apprendre que je suis à l'hôtel Reine Elizabeth avec ma jeune assistante de 18 ans. Je serai à la maison avant minuit.

Ton époux»

Quelques minutes plus tard, le mari reçoit un fax à sa chambre d'hôtel:

«Cher époux, tu as aussi 54 ans et lorsque tu recevras ce message, je serai à l'hôtel Champlain avec un jeune homme de 18 ans. Puisque tu es professeur de mathématiques, tu devrais savoir que 18 entre plus de fois dans 54 que 54 dans 18. Alors je t'en prie, ne m'attends pas ce soir.

Ton épouse»

Bagages

Un passager arrive avec ses bagages au comptoir d'Air France. Il dépose trois grosses valises et dit à la préposée:

— J'aimerais que cette valise aille à New York, que celle-ci aille à Rome et que celle-ci aille à Hong-Kong!

— Je suis désolée, monsieur, j'ai bien peur que cela ne soit impossible!

— Impossible? C'est pourtant ça qui s'est passé la dernière fois que j'ai pris un vol avec vous.

Voiture en panne

Un informaticien, un mécanicien et un chimiste sont dans une voiture. Ils roulent quand, tout à coup, celle-ci tombe en panne. Le mécanicien prend alors la parole.

— Je crois savoir d'où ça vient. Juste avant la panne, j'ai entendu un bruit caractéristique de problèmes de glissement des pistons dans les cylindres. Le torseur cinématique de l'ensemble ne pouvait plus vérifier le principe fondamental de la dynamique; si vous ajoutez à cela la contribution de la perte de quantité de mouvement néfaste à cette vérification, il est normal que ça ait lâché. Il faut donc graisser les pistons de façon que les glissements s'effectuent sans problème, et la voiture roulera à nouveau.

Entendant cela, le chimiste dit:

— Je suis désolé de ne point être de cet avis-là. De mon côté, j'ai senti des émanations de dimethyl-3 hexane quelques secondes avant que nous tombions en panne. De plus, la combustion des gaz mêlés à l'oxygène de l'air a été stoppée à cause d'un dérivé du glycérol, provenant sans doute des parois des cylindres, il n'aurait jamais dû se diluer dans le mélange. Les micro-explosions internes ont alors cessé, d'où l'arrêt brutal du véhicule. Je suggère donc d'ajouter une huile spéciale contenant un composé chimique qui empêchera le glycérol de se diluer. Et on pourra repartir!

Le mécanicien et le chimiste regardent l'informaticien et attendent son avis. Ce dernier réfléchit un court instant et dit:

— Ben, c'est simple. Je propose que nous descendions tous les trois de la voiture et qu'on remette le contact.

Hommes d'affaires dans le désert

Un homme d'affaires se perd dans le désert. Il marche dans le but de trouver la civilisation. Il commence donc à marcher. Le temps passe et il est assoiffé. Plus le temps passe, plus il se sent faible. Il est sur le point de s'évanouir quand il aperçoit une tente à 500 m devant de lui. Il atteint la tente en criant qu'il a soif, qu'il a besoin d'eau. Un bédouin apparaît dans la porte de la tente et lui dit:

— Je suis désolé, monsieur, mais je n'ai pas d'eau. Cependant, voulez-vous m'acheter une cravate?

Et le bédouin brandit une collection d'exquises cravates soyeuses.

— Cessez de faire l'idiot, dit l'homme, je meurs de soif! J'ai besoin d'eau!

— Bien, monsieur, répond le bédouin, si vous avez vraiment besoin d'eau, il y a une tente à approximativement 2 km au sud d'ici, et là vous pourrez avoir de l'eau.

L'homme trouve l'énergie pour traîner son corps desséché près de la deuxième tente. À bout de forces, il se traîne jusqu'à la porte de la tente et s'écroule. Un autre bédouin, habillé d'un smoking, se présente à la porte et lui demande:

— Puis-je vous aider, monsieur?

— De l'eau... de l'eau, répond faiblement l'homme.

— Eh, monsieur! répond le bédouin, je suis désolé, mais vous ne pouvez pas entrer ici sans cravate.

Lettre au père Noël

Un petit garçon écrit au père Noël.

«Cher père Noël, mes parents sont très pauvres et je sais qu'ils ne pourront pas me faire de cadeau cette année. Je ne demande pas grand-chose, je veux juste pouvoir aller jouer avec mes copains dans la neige. Pour ça, il me faudrait une tuque, une écharpe et des gants. Je sais que tu es très gentil et je te remercie d'avance, cher papa Noël.»

Il met sa lettre dans une enveloppe sur laquelle il écrit «Pour le père Noël» et la poste. La postière, en triant le courrier, tombe sur cette enveloppe qui l'intrigue et lit la lettre. Tout émue, elle en parle à ses collègues et décide de faire une quête. Mais à la poste, personne n'est très riche; ils réunissent quand même assez d'argent pour acheter un bonnet et une écharpe qu'ils enveloppent dans un joli paquet cadeau pour l'envoyer au petit garçon «de la part du père Noël».

Quelques semaines plus tard, la postière tombe à nouveau sur une lettre au père Noël envoyée par le petit garçon.

«Cher père Noël, je te remercie beaucoup pour le bonnet et l'écharpe. Malheureusement, sans gants je n'ai pas pu jouer avec mes copains dans la neige. Mais je ne t'en veux pas, cher papa Noël, je sais bien que ce n'est pas de ta faute. C'est sûrement encore ces employés pourris de la poste qui les ont piqués.»

Maîtresse

Un artiste, un avocat et un informaticien discutent des avantages et des inconvénients d'avoir une maîtresse. L'artiste dit:

— Moi, je trouve cela très intéressant, vous savez, la passion, l'envoûtement, la peur de se faire prendre!

— Moi, j'ai trop peur de cela, dit l'avocat. Ça peut vous rendre la vie impossible, vous amener en cour, le divorce, la faillite. Non, c'est beaucoup trop de problèmes.

— Moi, dit l'informaticien, c'est la plus belle chose qui me soit arrivée! Ma femme pense que je passe la nuit avec ma maîtresse; ma maîtresse pense que je passe la nuit avec ma femme; alors je peux passer tout mon temps sur l'ordinateur!

Sherlock Holmes

Sherlock Holmes et le docteur Watson volent en ballon et s'égarent dans le brouillard. Ils descendent sur une ville et demandent à un passant:

— Mon ami, pourriez-vous nous dire où nous nous trouvons?

Le type réfléchit, les regarde et, avant de s'en aller, répond:

— Sur un ballon.

— C'est sûrement un programmeur, répond Sherlock Holmes.

— Comment vous avez deviné? demande Watson.

— Premièrement, il a réfléchi avant de répondre; deuxièmement, sa réponse était très précise; et troisièmement, sa réponse était parfaitement inutile.

C'est fini

Un vieux monsieur d'environ 90 ans appelle une prostituée pour satisfaire ses besoins. Arrivée chez le monsieur, la prostituée s'approche de lui et dit en le

voyant:

— À votre âge, ça doit être fini!

— Hein? demande le vieux.

La prostituée répète:

— À votre âge, ça doit être fini!

— Hein? demande le vieux.

— À VOTRE ÂGE, ÇA DOIT ÊTRE FINI! lui crie la prostituée.

Le vieux lui répond:

— C'est fini? Combien je vous dois?

Île déserte

Un ouvrier en voyage sur un bateau de croisière est sur le pont principal et parle avec le commandant de bord. À un moment donné, le bateau passe devant une île déserte en plein milieu du Pacifique et ils aperçoivent au loin, sur l'île, un gars qui agite les mains en faisant de grands signes en direction du bateau. L'ouvrier dit au commandant:

— Qu'est-ce qu'il a à gesticuler comme ça?

— On passe ici une fois par année, répond le commandant, je pense qu'il n'aime pas qu'on passe devant son île.

Dur, le métier de journaliste

Un journaliste va interviewer un centenaire. Le journaliste demande au vieillard:

— Pouvez-vous me raconter un de vos bons souvenirs de jeunesse?

— Ah oui! Je me rappelle la fois que la chèvre s'était perdue dans le bois. On est partis une gang de gars pour la retrouver. Quand on l'a retrouvée, on était contents, on a pris une couple de bières pis on a décidé, pour fêter ça, de tous se faire la chèvre un après l'autre...

— Ouais! répond le journaliste, je pourrai pas écrire ça dans mon article, vous auriez pas un autre souvenir...

— Oh oui! Je me rappelle la fois que la voisine s'était perdue dans le bois. On est partis une gang de gars pour la retrouver. Quand on l'a retrouvée, on était contents, on a pris une couple de bières pis on a décidé, pour fêter ça, de tous se faire la voisine un après l'autre...

— Ben là, monsieur, ça marche pas du tout, je peux pas écrire ça dans mon journal... Vous auriez pas plutôt un mauvais souvenir à me raconter?

— Ah ben oui! je me rappelle la fois où je me suis perdu dans le bois...

Petit salaire

Une dame se plaint à une amie:

— Mon mari gagne tellement un petit salaire que c'est le camelot qui lui change sa paye le samedi matin.

James

James travaille comme maître d'hôtel chez un couple fortuné. La femme, ravissante, est beaucoup plus jeune que son mari. Un soir, ils annoncent à leur valet qu'ils rentreront très tard, mais l'épouse revient beaucoup plus tôt que prévu.

— James, dit-elle, venez dans ma chambre.

Il la suit. Elle ferme la porte.

— Enlevez ma robe, ordonne-t-elle.

James obéit.

— Mes bas, maintenant.

Et James enlève les bas de la dame.

— Et mes dessous! lui ordonne-t-elle.

James s'exécute.

— Maintenant, James, fait-elle en le regardant dans les yeux, que je ne vous reprenne plus à porter mes vêtements!

Fermiers

Deux frères fermiers sont en train de travailler aux champs. À un certain moment, il y a une belle fille de la ville qui passe en décapotable. Elle s'arrête et se met à jaser avec les gars. Une chose en entraînant une autre, ils décident de faire l'amour. Avant qu'ils passent aux actes, la fille leur dit:

— Avant de faire l'amour, vous allez mettre ça, je veux pas avoir d'enfants.

Les choses se passent comme elles se doivent. La fille repart à la ville. Quinze jours plus tard, les gars sont aux champs en train de faire les foins. Un des fermiers dit à son frère:

— Ça te dérange qu'elle ait un enfant, toi?

— Non.

— Bon ben, on enlève ça, ces affaires-là.

Québécois

Un Québécois pure laine est dans un restaurant français.

— Eh, waiter! Y a une p'tite crisse de câlisse de tabarnak de mouche dans ma ciboire de saint-sacrament de soupe!

— Désolé, monsieur, lui dit le serveur, je ne vois aucun service religieux dans votre soupe.

Vacances à la ferme

Un fonctionnaire passe ses vacances dans une ferme pour se remettre un peu en forme. Le premier jour, le fermier lui demande de vider un tas de fumier au fond de la cour et de l'épandre sur le champ derrière la ferme. Lorsque le fermier revient le soir, le travail est fait, étonnamment.

Le deuxième jour, le fermier lui fait trier des pommes de terre en lui demandant de faire un tas avec les petites, un tas avec les grosses et de jeter les pourries. Lorsque le fermier revient le soir, rien n'est fait; il voit le fonctionnaire tenant une pomme de terre moyenne dans la main en train de se demander si elle est petite ou grosse.

Morale de cette histoire: un fonctionnaire pour remuer la merde, c'est bien, mais quand il s'agit de prendre une décision...

Le Mexicain et l'Américain

Au bord de l'eau, dans un petit village mexicain, un bateau rentre au port. Un Américain qui est là complimente le pêcheur mexicain sur la qualité de ses poissons et lui demande combien de temps il lui a fallu pour les capturer.

— Pas très longtemps, répond le Mexicain.

— Mais alors, pourquoi n'êtes-vous pas resté en mer plus longtemps pour en attraper plus? demande l'Américain.

Le Mexicain répond que ces quelques poissons suffisent à assurer la subsistance de sa famille. L'Américain demande alors:

— Mais que faites-vous le reste du temps?

— Je fais la grasse matinée, je pêche un peu, je joue avec mes enfants, je fais la sieste avec ma femme. Le soir, je vais au village voir mes amis, nous buvons du vin et jouons de la guitare. J'ai une vie bien remplie.

— J'ai un MBA de Harvard et je peux vous aider, lui dit l'Américain. Vous devriez commencer par pêcher plus longtemps. Avec les bénéfices, vous pourriez acheter un plus gros bateau. Avec l'argent que vous rapporterait ce bateau, vous pourriez en acheter un deuxième, et ainsi de suite jusqu'à ce que vous possédiez toute une flotte. Au lieu de vendre votre poisson à un intermédiaire, vous pourriez négocier directement avec l'usine et ouvrir votre propre usine. Vous pourriez alors quitter votre petit village pour Los Angeles ou New York d'où vous dirigeriez toutes vos affaires.

— Combien de temps cela prendrait-il? demande le Mexicain.

— Dix ou vingt ans, répond l'Américain.

— Et après?

— Après? Ça devient intéressant, vous pourriez inscrire votre société en Bourse et vous gagneriez des millions.

— Des millions? Mais après?

— Après? Vous pourriez prendre votre retraite, habiter dans un petit village côtier, faire la grasse matinée, jouer avec vos enfants, pêcher un peu, faire la sieste avec votre femme et passer vos soirées à boire et à jouer de la guitare avec vos amis...

Témoin renseigné

L'avocat de la couronne d'une petite ville appelle son premier témoin à la barre. Il s'agit d'une vieille dame. Il s'approche d'elle et lui demande:

— Madame Tremblay, savez-vous qui je suis?

— Bien sûr que je vous connais, monsieur Baril. Je vous connais depuis que vous êtes haut comme trois pommes. J'ai même changé vos couches quand vous étiez petit. Et franchement, vous m'avez beaucoup déçue. Vous êtes devenu un menteur, vous trompez votre femme, vous manipulez les gens et vous parlez dans leur dos. Vous pensez que vous êtes une étoile montante, mais vous ne serez jamais rien de mieux qu'un petit avocat de seconde classe. Oui, monsieur Baril, on peut dire que je sais très bien qui vous êtes.

L'avocat est saisi. Ne sachant pas quoi faire, il pointe l'avocat de la défense et demande au témoin:

— Madame Tremblay, savez-vous qui est l'avocat de la défense?

— Eh oui! on peut dire que je connais monsieur Leblanc. Je l'ai gardé quand il était petit et j'ai changé ses couches à lui aussi. Lui aussi m'a beaucoup déçue. C'est un gros paresseux qui fait tout pour ne pas travailler. Il boit comme un trou et il est incapable de bâtir une relation solide avec une femme. En plus, son bureau d'avocat est l'un des plus mauvais de la région et il survit en fraudant les impôts. Oui, on peut dire que je le connais très bien.

Sur ces remarques surprenantes, les gens se mettent à parler dans la cour et le juge doit ramener le silence. Le juge demande aux deux avocats de s'approcher et leur dit tout bas:

— Si l'un de vous demande à madame Tremblay si elle me connaît, je le condamne à la prison pour outrage au tribunal!

Histoire de coqs

Dans un poulailler, un vieux coq commence à avoir certaines difficultés à satisfaire toutes ses poules. Le fermier décide donc d'acheter un tout jeune coq pour faire le travail. Le vieux coq s'approche du jeune, qui vient d'arriver:

— Dis, tu pourrais au moins me laisser mes poules préférées.

— Non! Tu n'avais qu'à faire ton travail. Elles sont maintenant toutes à moi!

— Tu veux pas me laisser une chance? On pourrait par exemple faire une course. Si je gagne, tu me laisses mes préférées; si tu gagnes, elles sont toutes à toi.

Le jeune coq regarde le vieux et répond:

— Bon, d'accord, mais tu n'as aucune chance.

— Si tu le penses vraiment, tu ne pourrais pas me laisser cinq mètres d'avance? Après tout, tu as l'avantage de la jeunesse!

— D'accord.

Et le vieux se met à courir et parcourt les cinq premiers mètres. Le jeune se met à courir derrière lui. Après 20 m, le vieux coq a toujours cinq mètres d'avance; après 30 m, il ne lui reste plus que deux mètres d'avance. Après 50 m, le jeune coq rejoint presque le vieux et s'apprête à lui sauter dessus. Mais le fermier qui passait par là attrape sa carabine et tire le jeune coq. En ramassant sa dépouille, il dit à sa femme:

— Ça n'a pas de bon sens! C'est le cinquième coq gai qu'ils nous envoient cette semaine!

La cuillère

Un homme entre dans un restaurant pas mal occupé et s'assoit à la seule table libre. En s'assoyant, il accroche accidentellement la cuillère avec son coude et elle tombe par terre. Aussitôt, le serveur en sort une de sa poche et la place sur la table.

L'homme, impressionné par la vitesse du service, demande au serveur:

— Est-ce que tous les serveurs gardent une cuillère dans leur poche?

— Un expert en efficacité est venu évaluer nos opérations, explique le serveur. Il a déterminé que 25 % des clients font tomber leur cuillère; en gardant une cuillère sur nous, on évite un voyage vers la cuisine et nous sommes ainsi bien plus efficaces.

Plus tard, lorsque le client exige l'addition, il demande au serveur:

— Pardon, pourquoi avez-vous une corde qui sort de votre braguette?

Le serveur lui répond:

— L'expert en efficacité a évalué qu'on passait trop de temps à se laver les mains après être allé à la toilette; alors l'autre bout de la corde est attaché à mon pénis et lorsque je vais à la toilette, je n'ai qu'à utiliser la corde. Puisque je ne me suis pas touché, je n'ai pas à me laver les mains.

Alors le client demande:

— Mais comment faites-vous pour remettre votre pénis dans votre pantalon?

— Je ne sais pas pour les autres, répond le serveur, mais moi, j'utilise la cuillère.